LE MIRACLE SPINOZA

Ouvrages du même auteur p. 229

Frédéric Lenoir

Le miracle Spinoza

*Une philosophie
pour éclairer notre vie*

Fayard

Couverture : Nuit de Chine

Dépôt légal : novembre 2017

ISBN : 978-2-213-70070-0

Ne pas se moquer, ne pas se lamenter,
ne pas détester, mais comprendre.

Baruch SPINOZA

Avant-propos

Le miracle Spinoza

La vie a parfois de bien curieuses malices. Deux hommes, parmi les plus grands génies de l'humanité, sont nés à moins d'un mois d'intervalle, ont vécu fort modestement à quelques kilomètres l'un de l'autre, sont décédés relativement jeunes (à 43 et 44 ans) et assez pauvres pour laisser des dettes à leurs héritiers. Même si leur œuvre a eu un certain rayonnement de leur vivant, ce n'est que plus de deux siècles après leur disparition que leur génie a été reconnu et que leur influence est devenue planétaire. L'un était peintre, l'autre était philosophe. Tous deux sont nés aux Pays-Bas en 1632. Johannes Vermeer et Baruch Spinoza ne se sont jamais rencontrés. Il y a pourtant, outre leur biographie, une étonnante parenté dans leur œuvre : la lumière. La qualité de la lumière des intérieurs de Vermeer fait écho aux lumineuses démonstrations de Spinoza, elles nous font regarder l'homme et le monde autrement.

J'ai rencontré Spinoza assez tardivement, mais ce fut une des rencontres les plus marquantes de mon existence. C'est alors que j'ai compris pourquoi Vermeer était le peintre qui me touchait sans doute le plus : l'harmonie que révèle la lumière de ses toiles a sur moi, comme la pensée du philosophe, un effet profondément apaisant.

Lorsque, au début des années 1980, j'ai fait mes études de philosophie à l'université, Spinoza n'était pas inscrit au programme officiel. Tout juste avait-il été évoqué lors d'un cours de philosophie politique. Ce n'est qu'en 2012, lors de la rédaction de mon ouvrage *Du bonheur, un voyage philosophique*, que j'ai véritablement découvert la pensée de ce philosophe juif d'origine portugaise, qui a vécu aux Pays-Bas au XVIIᵉ siècle. Ce sont deux amis, fins connaisseurs de Spinoza, Raphaël Enthoven et Bruno Giuliani, qui m'ont d'ailleurs mis sur la piste de l'*Éthique* et je les en remercie vivement : ce fut un coup de foudre. D'abord – comme tous les coups de cœur où se joue un effet miroir –, parce que j'y retrouvais bien des aspects de ma propre vision du monde. Ensuite, parce qu'il m'emmenait sur des pistes que je n'avais pas encore explorées et m'obligeait à me poser de nouvelles et pertinentes questions. Depuis cinq ans, je le fréquente quasi quotidiennement. Il est devenu un ami cher, même si je ne partage pas nécessairement toutes ses idées.

Malgré les nombreuses épreuves de sa brève existence, la joie est au cœur de la philosophie de Spinoza, et son influence m'a incité à écrire deux ans plus tard, alors que je traversais moi-même une épreuve de vie, *La Puissance de la joie*.

Certes, la lecture de son œuvre majeure, l'*Éthique*, n'est pas aisée. Je l'ai lue de nombreuses fois, et certains passages me restent encore obscurs. Mais peu importent les difficultés, j'en retire sans cesse de nouveaux éclairages, qui aiguisent mon esprit, me plongent dans l'enthousiasme, changent parfois mon regard et m'aident à vivre mieux. Spinoza est un de ces auteurs qui peuvent changer une vie. De Bergson à Einstein, on ne compte plus les grands penseurs qui reconnaissent une dette profonde envers lui. J'ai envie de livrer ici le seul témoignage de Goethe, car il exprime de manière si juste la manière dont Spinoza peut illuminer notre intelligence et apaiser notre cœur, et cela, même si notre tempérament semble être fort différent du sien. Voici ce qu'écrit l'auteur de *Faust* dans ses *Mémoires* : « J'avais reçu en moi la personnalité et la doctrine d'un homme extraordinaire, d'une manière incomplète, il est vrai, et comme à la dérobée, mais j'en éprouvais déjà de remarquables effets. Cet esprit, qui exerçait sur moi une action si décidée, et qui devait avoir sur ma manière de penser une si grande influence, c'était Spinoza. En effet, après avoir cherché vainement dans le monde entier un moyen de culture pour ma nature étrange, je finis par tomber sur l'*Éthique* de ce philosophe. Ce que j'ai pu tirer de cet ouvrage, ce que j'ai pu y mettre du mien, je ne saurai en rendre compte ; mais j'y trouvais l'apaisement de mes passions ; une grande et libre perspective sur le monde sensible et le monde moral semblait s'ouvrir devant moi. [...] Au reste, on ne peut non plus méconnaître ici qu'à proprement parler les plus intimes unions résultent des contrastes. Le calme de Spinoza, qui apaisait tout, contrastait avec mon élan, qui remuait tout ; sa méthode mathématique était l'opposé de mon caractère et de mon exposition poétique, et c'était précisément cette méthode régulière, jugée impropre aux matières morales, qui faisait de moi son disciple passionné, son admirateur le plus prononcé. [...] Je m'adonnai à cette lecture, et je crus, portant mes regards en moi-même, n'avoir jamais eu une vue aussi claire du monde[1]. »

Ce que souligne Goethe de si surprenant, c'est le contraste entre le caractère géométrique particulièrement aride de l'*Éthique* et la force d'apaisement que cet ouvrage peut procurer, notamment sur les caractères les plus passionnés. Spinoza

---

1. Goethe, *Mémoires*, traduction de Jacques Porchat, Paris, Hachette, 1893, p. 537 et 572.

a l'ambition de démontrer, de manière quasi objective, l'intelligence et l'harmonie profondes qui unissent tout le réel. Partant de Dieu, défini comme la substance unique de ce qui est, il entend montrer que tout a une cause – de l'ordre cosmique au désordre de nos passions – et que tout s'explique par les lois universelles de la Nature. Tout chaos n'est qu'apparent ; le hasard, comme les miracles, n'existe pas.

S'il y a pourtant un miracle qu'on aimerait démasquer par une juste connaissance des causes, c'est bien le miracle Spinoza ! Comment cet homme a-t-il pu, en moins de deux décennies, édifier une construction intellectuelle aussi profonde que révolutionnaire ? Car, comme nous le verrons, la pensée de Spinoza constitue une véritable révolution politique, religieuse, anthropologique, psychologique et morale. En prenant la raison pour seul critère de la vérité, il se place d'emblée dans l'universel et l'intemporel, car elle est la même pour tous les hommes de tous les temps. C'est pourquoi son message n'a rien à craindre de l'usure du temps ou des singularités de sa naissance.

Le rationalisme, comme l'on sait, a été initié par Descartes sur la base du dualisme. D'un côté, le monde matériel ; de l'autre, le monde spirituel. Spinoza se place également sous l'égide de la raison, mais dépasse largement ce clivage. Sa pensée à la rigueur géométrique déconstruit les systèmes existants pour bâtir une philosophie globale qui ne fait plus la séparation entre le créateur et la création, le spirituel et le matériel, mais appréhende dans un même mouvement l'homme et la nature, l'esprit et le corps, la métaphysique et l'éthique.

Ce coup de force intellectuel, Spinoza le réussit dans un XVIIe siècle où triomphent les obscurantismes, les intolérances, le fanatisme. Insensible aux conformismes – ses ouvrages seront condamnés par toutes les religions –, il libère l'esprit humain des traditions et des conservatismes. Et cela dans tous les domaines. Au XXe siècle, Albert Einstein trouve dans son œuvre le prolongement métaphysique de la révolution physique qu'il opère. Mais sa conception de l'homme est tout aussi contemporaine. Il a réconcilié le corps et l'esprit, il a reconstitué le puzzle des sentiments, de la pensée et des croyances. Aujourd'hui, même le célèbre neuropsychologue Antonio Damasio voit en Spinoza le précurseur de ses théories sur les émotions. N'a-t-il pas également inspiré les Lumières, l'exégèse biblique, l'histoire des religions, n'a-t-il pas été philologue, sociologue et éthologue bien avant que ces disciplines ne se constituent ?

Spinoza est assurément génial, et l'on peine parfois à suivre sa puissance intellectuelle, mais son abstraction ne vise qu'à proposer une sagesse qui ne trace aucune voie impérative pour permettre à chacun de trouver le chemin de la joie.

« Quel homme, quel cerveau, quelle science et quel esprit ! » s'exclamait déjà Flaubert à son propos. Il faudra pourtant attendre le XXe siècle pour que les progrès des sciences humaines, mais aussi de la biologie, ne viennent encore confirmer nombre de ses thèses. Ajoutons qu'il parlait couramment le flamand, le portugais et l'espagnol ; qu'il pouvait lire l'italien, l'allemand et le français, ainsi que quatre langues anciennes : l'hébreu biblique, l'araméen, le grec et le latin.

La construction de l'*Éthique*, avec son appareil d'axiomes, de définitions, de propositions, de démonstrations, de corollaires et de scolies, est complexe et rend sa lecture ardue, mais ses autres ouvrages sont rédigés de manière plus fluide et accessible. Spinoza écrit, comme les lettrés de son temps, dans un latin sans fioritures et utilise le vocabulaire classique de la métaphysique issue de la scolastique médiévale, tel celui utilisé par Descartes quelques décennies auparavant. Comme ce vocabulaire nous est parfois très éloigné, je l'expliquerai au fur et à mesure des thèses spinozistes présentées dans cet ouvrage. Il a d'ailleurs relativement peu écrit et, en raison de la persécution dont il a été victime, n'a publié que deux ouvrages de son vivant : *Les Principes de la philosophie de René Descartes* (1663) et le

Traité théologico-politique (1670). Ses autres ouvrages ont été publiés un an après sa mort, en 1678 : le *Court traité*, le *Traité de la réforme de l'entendement* (inachevé), l'*Éthique* (achevé en 1675), le *Traité politique* (inachevé), un *Abrégé de grammaire hébraïque* (inachevé), ainsi que deux brefs traités scientifiques, découverts ultérieurement, et dont il n'est pas certain qu'ils soient de sa main : le *Calcul des chances* et le *Traité de l'arc-en-ciel*. À cela on peut ajouter les quarante-huit lettres qu'on a conservées de lui, sur une correspondance de quatre-vingt-quatre lettres, si l'on compte les réponses de ses divers interlocuteurs[1].

Outre ses écrits et sa correspondance, sa vie nous est connue par cinq autres sources : la préface des *Œuvres posthumes* (1678, brève, mais fiable) ; l'article que lui a consacré Pierre Bayle dans son *Dictionnaire historique et critique* (1697, fasciné par le sage, mais hostile à ses idées, il est volontiers ironique) ; la préface de Sébastian Kortholt à la réédition du *Traité des trois imposteurs,* écrit par son père vingt ans plus tôt (1700, Spinoza étant l'un des trois imposteurs) ; la *Vie de*

---

1. Lorsque je citerai Spinoza, j'utiliserai comme base les *Œuvres complètes* publiées dans la bibliothèque de la Pléiade, fort bien traduites par R. Caillois, M. Francès et R. Misrahi, même si j'y apporterai parfois quelques légères modifications pour faciliter la clarté de l'exposé.

Spinoza du pasteur luthérien Jean Colerus (1704, il réfute les idées de Spinoza, mais est touché par l'homme et a mené une enquête sérieuse sur sa vie) ; et, en 1719, *La Vie et l'Esprit de M. Benoit de Spinoza*, du médecin français Jean-Maximilien Lucas (un disciple de Spinoza qui s'est inspiré de documents anciens, émanant des proches du philosophe).

Spinoza explique dans l'*Éthique* que nos pensées et nos sentiments sont intimement liés. Je m'efforcerai donc, autant que faire se peut, d'éclairer sa pensée par sa vie en utilisant ces différentes sources, sans omettre parfois de signaler des événements qui restent sujets à débat. On connaît cependant suffisamment de faits pour avoir une idée assez claire de la personnalité comme du mode de vie de ce philosophe, lequel chercha durant toute son existence à mettre en cohérence sa pensée avec ses actes. Et c'est bien pour cela que Spinoza nous est si proche et qu'il est en fait plus qu'un simple penseur : il est avant tout un sage qui cherche à changer notre regard afin de nous rendre libres et heureux, comme il le fut lui-même.

Dans son système philosophique, Spinoza place la raison au centre de tout. Il est convaincu, et tentera de le démontrer, que la totalité du réel – des lointaines galaxies au cœur de l'être humain – est régi par des lois immuables, qui expliquent tous les phénomènes. « L'homme n'est pas un empire dans un empire[1] », explique-t-il. Il est une partie de la nature et obéit aux lois universelles du vivant. Il n'a aucun privilège qui lui confierait un statut à part dans la création – on voit ici une puissante rupture avec toute la théologie juive et chrétienne, mais aussi la pensée de Descartes. Son comportement répond, comme tout phénomène naturel, à des lois de causalité qu'il suffit de connaître pour le comprendre. Convaincu que la raison est capable d'appréhender les mécanismes qui nous déterminent, Spinoza propose une voie de libération fondée sur une observation minutieuse de nous-mêmes, de nos passions, de nos émotions, de nos désirs, de notre constitution physique, qui, seule, nous rendra libre.

Cette conviction que le réel est totalement intelligible est la pierre angulaire de tout l'édifice spinoziste. Pour lui, rien n'est irrationnel. Certes, nous pouvons adopter un comportement jugé irrationnel, mais celui-ci s'explique par des causes qu'il suffit de découvrir. La jalousie ou la colère, même la plus folle, ont une explication tout aussi logique qu'un orage ou une éruption volcanique. On peut dès lors comprendre cette expression que Spinoza utilise par trois fois dans ses œuvres : « Ne pas se moquer, ne pas se lamenter,

---

1. *Éthique*, préface du livre III.

ne pas détester, mais comprendre[1]. » J'ai choisi cette phrase comme exergue de ce livre, car elle résume à merveille l'intention de Spinoza qui prévaut dans sa démarche philosophique : plutôt que de réagir face aux événements avec nos émotions, essayons de les comprendre. Lorsque nous aurons compris que tout a une cause et que nous aurons saisi l'enchaînement des causes qui ont produit tel événement naturel ou telle action humaine, nous ne serons plus ni dans le jugement moral, ni dans le sarcasme, ni dans la plainte, la haine ou la colère. Nous pourrons porter un regard rationnel, juste, et donc apaisé, sur toute situation. Cela n'enlève pas la condamnation ou la critique de telle ou telle action, mais on envisagera, par exemple, un crime comme on considérera un tremblement de terre : quelque chose de terrible, mais de logique, au vu de l'enchaînement des causes naturelles qui en sont à l'origine. Les conséquences peuvent être tragiques, mais elles ne sont jamais irrationnelles, et il est tout aussi vain de haïr un criminel que de haïr la nature à l'origine d'un tremblement de terre. On voit par là combien Spinoza est un précurseur

---

1. Début du *Traité théologico-politique*, troisième chapitre de l'*Éthique* et Lettre 30 à Henry Oldenburg. Je préfère traduire par « ne pas se moquer » plutôt que par « ne pas rire », qui prête à confusion. Car Spinoza n'a rien contre le rire, bien au contraire, mais il critique ici la moquerie, ce rire aux dépens d'autrui, qui constitue une passion triste.

de la psychologie des profondeurs, mais on comprend mieux aussi pourquoi il exprime si souvent son admiration pour la pensée du Christ (alors qu'il n'a aucun inclination pour la religion chrétienne, comme pour toute religion) : ce dernier ne cessait de répéter : « Ne jugez pas ! » et a eu cette parole si forte, lorsqu'il était en train de mourir sur la croix et que la foule se moquait de lui : « Père, pardonne-leur, car ils ne savent pas ce qu'ils font. » Si la foule avait su, elle ne se serait pas moquée de cet innocent injustement condamné et elle aurait au contraire agi pour qu'il soit libéré. L'ignorance, comme l'affirmaient déjà le Bouddha et Socrate, est la cause de tous les maux. À l'inverse, la connaissance ouvre la voie au changement, à l'action appropriée, à la liberté.

Cette lecture totalement « dépassionnée » des événements de la vie peut, bien entendu, susciter des critiques. L'analyse qui la sous-tend n'en demeure pas moins, selon moi, profondément juste. On comprend dès lors, et nous y reviendrons, pourquoi Spinoza ne porte aucun jugement sur les actes humains : il cherche plutôt à les comprendre en vue de les améliorer. Vaincre le mal en s'attaquant à ses causes profondes lui semble autrement plus utile que de passer son temps à s'indigner, se lamenter, détester et condamner, ce qui nous dispense le plus souvent d'agir. C'est un des aspects de la philosophie de Spinoza dans lequel je me suis immédiatement reconnu. À travers tous mes ouvrages et mes interventions dans les médias, je cherche à comprendre et expliquer sereinement, plutôt que de m'engager dans des polémiques passionnées, le plus souvent stériles. Il m'arrive évidemment de m'indigner ou d'être révolté, mais je n'en fais pas une posture et je cherche à dépasser mes émotions pour essayer de comprendre, mais aussi d'agir (à travers, notamment, une fondation pour l'éducation au savoir-être et au vivre-ensemble et une association en faveur du bien-être animal[1]).

Voici une des raisons pour lesquelles, cher lecteur, Spinoza est non seulement un penseur inspirant, mais aussi un ami. Je vous en ferai découvrir bien d'autres au long de ce livre que j'ai écrit avec joie.

---

1. fondationseve.org et ensemblepourlesanimaux.org

I

Le révolutionnaire politique
et religieux

1

Conversion philosophique

> « *Toute notre félicité et notre misère dépendent de la seule qualité de l'objet auquel nous sommes attachés par amour.* »

Les ancêtres de Baruch Spinoza étaient très probablement des juifs espagnols expulsés en 1492 et qui trouvèrent refuge au Portugal. La plupart de ces exilés étaient des *conversos*, des convertis au catholicisme (le plus souvent sous la contrainte), et certains d'entre eux, que l'on appelait avec mépris les « marranes », continuaient à pratiquer secrètement le judaïsme. Menacés à nouveau d'expulsion, de nombreux juifs durent recevoir un baptême forcé, tandis que d'autres émigrèrent vers l'Empire ottoman, certaines villes d'Italie et, vers la fin du XVIᵉ siècle, dans les Provinces-Unies des Pays-Bas, lorsque celles-ci se sont émancipées de la tutelle de l'Espagne. Fondée en 1581, la république des Provinces-Unies des Pays-Bas est devenue au cours du XVIIe siècle une fédération commerciale considérable, à la fois maritime et coloniale, rivalisant avec l'Angleterre, la France et l'Espagne. Quand naît Baruch Spinoza, en 1632, les Provinces-Unies possèdent les plus importants chantiers navals et la plus puissante banque d'Europe. Mais c'est aussi une terre d'asile pour ceux qui fuient les persécutions politiques et religieuses. Bien que majoritairement calvinistes, les Hollandais tolèrent la présence de nombreuses sectes protestantes, des catholiques et des juifs. Même si elles sont parfois réprimées, les opinions politiques et philosophiques les plus diverses peuvent s'y déployer mieux que partout ailleurs en Europe. C'est dans ce nouveau lieu de tolérance que de nombreux juifs viennent s'établir.

Le grand-père de Baruch Spinoza, Pedro Isaac Espinhosa, dont le nom signifie « qui vient d'un lieu plein d'épines », quitte le Portugal pour la France – il vécut quelque temps à Nantes – avant de s'installer définitivement à Amsterdam. Son père, Micaël, développe un petit négoce de produits importés des colonies dans le quartier juif de la ville, à seulement deux rues de la maison de Rembrandt[1]. Il a une fille, Rebecca, et un fils,

---

1. La maison natale de Spinoza était située au 57 de la Breestraat. Elle a été détruite, comme la plupart des vieilles maisons du

Isaac, nés d'un premier mariage. Après le décès de sa femme, il se remarie avec Hannah et ils ont deux enfants : Myriam et Baruch. Mais le malheur frappe à nouveau, et il perd sa femme. Il se remarie une troisième fois avec Esther, qui lui donne un fils : Gabriel. L'enfance de Baruch (nom hébreu qui signifie « béni » et qu'on traduira souvent dans sa vie quotidienne par sa traduction portugaise : Bento) est donc bouleversée par le décès de sa mère, alors qu'il n'a pas encore six ans.

Micaël est un homme très religieux et aussi l'un des principaux soutiens financiers de la synagogue Talmud-Torah, dirigée par une très forte personnalité, le rabbin érudit Saül Morteira. Micaël a souvent fait partie des *parnassim*, le conseil de la communauté, qui prend les décisions importantes et nomme les rabbins. Dès sa petite enfance, Baruch a donc été envoyé à l'école juive de la synagogue, où il apprend à lire la Bible en hébreu, l'observance de la Loi et les débats talmudiques. Selon son disciple Lucas, il suscitait l'admiration de tous par la vivacité de son esprit, et le rabbin Morteira fondait de grands espoirs en lui, espérant probablement qu'il lui succéderait un jour. Toutefois, précise le biographe, « il n'avait pas quinze ans, qu'il formait des difficultés que

---

quartier juif. Siège aujourd'hui à cet emplacement l'église catholique Moïse et Aaron.

les plus doctes d'entre les juifs avaient de la peine à résoudre ; et quoiqu'une jeunesse si grande ne soit guère l'âge du discernement, il en avait néanmoins assez pour s'apercevoir que ses doutes embarrassaient son maître[1] ». Or le jeune Baruch sait qu'il doit être prudent, car sa communauté ne tolère pas les écarts doctrinaux. Ainsi, à peine âgé de quinze ans, il assiste à la peine publique infligée par les *parnassim* à Uriel da Costa pour avoir nié la Loi révélée et l'immortalité de l'âme. L'homme reçoit trente-neuf coups de fouet et se suicide juste après la cérémonie. Nul doute que cet événement marque en profondeur l'esprit du jeune homme, qui commence alors à se détourner de la religion pour s'intéresser à la philosophie.

Depuis l'âge de treize ans, il aide son père dans son négoce, tout en poursuivant ses études à la synagogue. Mais il délaisse progressivement ses études juives (il disparaît des registres scolaires dans sa dix-huitième année) pour fréquenter de plus en plus assidûment des cercles de chrétiens libéraux, qui l'initient à la théologie, aux sciences nouvelles et à la philosophie, notamment celle de son contemporain René Descartes, qui a aussi trouvé refuge aux Pays-Bas. En effet, en ce milieu du XVIIe siècle, les Provinces-Unies des Pays-Bas

---

1. Jean-Maximilien Lucas, *La Vie de B. de Spinoza*, in Spinoza, *Œuvres complètes, op. cit.*, p. 1341.

sont le centre européen de la république des arts et des lettres : c'est à Amsterdam que sont publiés les ouvrages de physique, d'optique, de médecine, de philosophie, les plus importants et les plus novateurs de l'époque. Des universités célèbres accueillent des savants et des étudiants de toute l'Europe ; on discute des « idées nouvelles » dans les gazettes et les sociétés savantes. C'est dans cet extraordinaire terreau intellectuel, prélude aux Lumières européennes, que le jeune Baruch va faire la rencontre la plus décisive de son existence. Vers 1652, à l'âge de dix-neuf ans, il commence à suivre les cours de latin d'un personnage haut en couleur : Franciscus Van den Enden[1].

Catholique originaire d'Anvers, Van den Enden intègre très jeune la Compagnie de Jésus, où il devient professeur de latin et de grec. Il est exclu de la Compagnie juste avant d'être ordonné prêtre, pour des « erreurs » qui nous sont inconnues, mais qui relèvent certainement de divergences doctrinales, car l'ancien jésuite se révèle par la suite d'une liberté inouïe. Il suit des études de médecine, se marie, puis se rend à Amsterdam en 1645, où il ouvre avec son frère (un graveur connu) un négoce d'art. Après la

---

1. Selon d'autres sources, Spinoza aurait commencé à suivre les cours de Van den Enden après le décès de son père, survenu en 1654. Cela ne change rien à l'essentiel du propos qui va suivre.

faillite de son entreprise, il crée, probablement en 1652, une école de latin destinée aux enfants de la bourgeoisie qui se préparent à entrer à l'université. Cependant, comme le souligne avec hargne le bien-nommé pasteur Colerus dans sa biographie de Spinoza : « Cet homme enseignait avec beaucoup de succès et de réputation ; de sorte que les plus riches marchands de la ville lui confièrent l'instruction de leurs enfants, avant qu'on eût reconnu qu'il montrait à ses disciples autre chose que le latin. Car on découvrit enfin qu'il répandait dans l'esprit de ces jeunes gens les premières semences de l'athéisme. » Et de citer des témoignages d'anciens élèves de Van den Enden restés fidèles à l'Église luthérienne d'Amsterdam qui « ne se lassent point de bénir la mémoire de leurs parents, qui les ont arrachés encore à temps de l'école de Satan, en les tirant des mains d'un maître si pernicieux et si impie[1] ».

De fait, l'ancien jésuite se fit vite connaître par ses idées originales, jugées par beaucoup comme subversives : il prône une totale liberté d'expression, l'éducation des masses et l'idéal démocratique. Sa réputation devient trop sulfureuse et il ne peut plus continuer d'enseigner à Amsterdam. En 1670, invité par des nobles français qui ont suivi son enseignement, il se rend en

---

1. Jean Colerus, *Vie de B. de Spinoza*, in Spinoza, *Œuvres complètes*, *op. cit.*, p 1308.

France et ouvre une école à Paris. Mais, lorsque la France de Louis XIV envahit les Pays-Bas, il tente – avec l'aide de complicités tant françaises (Louis de Rohan, qui échouera dans un complot contre le roi) que hollandaises – d'instaurer une république indépendante en Normandie, dans le dessein, toujours selon Colerus, d'ouvrir un front intérieur qui aurait obligé Louis XIV à diviser ses forces. Il est arrêté et pendu à la Bastille le 27 novembre 1674.

On comprend l'influence cruciale qu'exerça ce libre penseur sur l'esprit du jeune Baruch. lui-même en quête de vérité. Van den Enden lui enseigne non seulement le latin, mais les bases d'une culture classique, notamment à travers le théâtre antique. On sait, par exemple, qu'en 1657 il fait jouer à ses élèves (dont Baruch) une pièce du poète latin Terence. De même, il transmet une culture théologique et une découverte des nouvelles sciences physiques. Il l'initie enfin à la philosophie cartésienne, et Baruch aurait, toujours selon Colerus, été particulièrement « charmé de cette maxime de Descartes qu'on ne doit jamais rien recevoir pour véritable qui n'ait été auparavant prouvé par de bonnes et solides raisons[1] ».

Au fil de ces années passées auprès de son nouveau maître, on assiste à une véritable « conversion

---

1. *Ibid.*, p. 1309.

philosophique » du jeune Baruch. D'une éducation religieuse dogmatique et rigoriste, fondée
sur la crainte et l'espoir, qu'il délaisse dès la fin
de l'adolescence, il se passionne pour une quête
libre de la vérité et du bonheur véritable, fondée
sur la seule raison. C'est à travers la magnifique
introduction de l'un de ses premiers écrits (resté
inachevé), le *Traité de la réforme de l'entendement*, que Baruch fait cette (rare) confession et
nous livre l'objet ultime de sa quête : « Quand
l'expérience m'eut appris que tous les événements
ordinaires de la vie sont vains et futiles, voyant
que tout ce qui était pour moi cause ou objet de
crainte ne contenait rien de bon ni de mauvais en
soi, mais dans la seule mesure où l'âme en était
émue, je me décidai en fin de compte à rechercher s'il n'existait pas un bien véritable et qui
pût se communiquer, quelque chose enfin dont
la découverte et l'acquisition me procureraient
pour l'éternité la jouissance d'une joie suprême
et incessante[1]. »

Cette recherche du « bien véritable », telle que
le jeune Spinoza l'exprime, est l'essence même
de la quête de la sagesse selon les anciens philosophes grecs. C'est-à-dire un bonheur profond
et durable, que l'on peut obtenir en devenant
en quelque sorte indifférent aux événements

1. *Traité de la réforme de l'entendement*, I, in Spinoza, *Œuvres
complètes*, p. 102.

extérieurs, qu'ils soient agréables ou désagréables, mais en transformant son esprit pour qu'il trouve à l'intérieur de lui-même un bonheur permanent. Ce qui m'apparaît déjà comme propre à Spinoza, dès ces premiers moments de l'élaboration de sa pensée, c'est que ce bonheur suprême prend le visage concret de la joie. Or les écoles de sagesse de l'Antiquité, notamment l'épicurisme et le stoïcisme, font peu de cas de la joie : le bonheur véritable (*eudemonia*) a plutôt le visage de la sérénité, de l'absence de trouble (*ataraxie*). La quête de sagesse est la même – ne plus faire dépendre son bonheur des causes extérieures –, mais cette orientation originale vers la joie caractérise en propre, et cela dès sa genèse, la sagesse spinoziste. Nous verrons plus loin comment et pourquoi.

Pour en revenir à ces premières pages du *Traité de la réforme de l'entendement*, Spinoza explique que l'esprit est tellement diverti par la recherche de la richesse, des honneurs et des plaisirs sensuels qu'il peut difficilement se consacrer à la recherche d'autres biens. Or, et Spinoza affirme en avoir fait lui-même l'expérience, ces biens apparents se transforment tôt ou tard en maux et en tristesse : « Toute notre félicité et notre misère dépendent de la seule qualité de l'objet auquel nous sommes attachés par amour[1]. » Si

---

1. *Ibid.*, p. 105.

nous sommes attachés aux biens futiles, comme les honneurs et la richesse, nous connaîtrons les maux liés aux aléas de ces biens, tandis que si nous recherchons la sagesse et nous attachons aux choses les plus nobles, notre bonheur sera plus fort et plus constant. Spinoza relate alors le combat qui fut le sien : « Car si clairement que mon esprit perçût ces choses, je ne pouvais cependant pas me détacher tout à fait de l'argent, du plaisir sensuel et de la gloire. Mais je voyais clairement une chose : tant que mon esprit était occupé de ses pensées, il se détournait des faux biens, et pensait sérieusement à son nouveau projet. Ce qui me fut une grande consolation[1]. » Plus il consacre de temps à la réflexion philosophique, plus ce « vrai bien » lui est connu, et plus il parvient à se détacher du reste et à ne plus considérer l'argent, les honneurs et le plaisir sensuel que comme des moyens et non des fins, ce qui lui permet d'en faire un usage modéré.

Pourquoi le jeune Baruch a-t-il décidé de s'adonner à la philosophie afin d'acquérir un bien véritable ? Il s'en explique très clairement dans la suite de son exposé : « En réfléchissant plus longuement, je fus convaincu que, pourvu que je puisse m'adonner entièrement à la réflexion, je laissais des maux certains pour un

---

1. *Ibid.*

bien certain[1]. » Et de poursuivre en livrant cette puissante et étrange confession : « Je me voyais en effet dans un péril extrême, et contraint de chercher un remède, même incertain. De même qu'un malade mortellement atteint et qui sent venir une mort certaine s'il n'applique un remède, est contraint de le chercher de toutes ses forces, si incertain soit-il, car il place tout son espoir en lui[2]. » Spinoza nous confie on ne peut plus clairement qu'il n'avait pas d'autre choix, pour sauver sa peau, que de s'adonner à la quête philosophique comme un remède vital ! Pourquoi ? À quel « péril extrême », à quelle « maladie mortelle » le jeune Baruch a-t-il été confronté ? Pourquoi lui a-t-il fallu chercher désespérément un tel remède ? Les quelques éléments que nous possédons de sa biographie apportent la réponse.

---

1. *Ibid.*, p. 104.
2. *Ibid.*

2

Un homme meurtri

« Je me voyais dans un péril extrême. »

Dans cette page émouvante, Spinoza fait réfé-
rence aux profondes épreuves qu'il a traver-
sées quelques années plus tôt et qui l'ont conduit
à s'interroger sur le sens de l'existence et la vraie
nature du bonheur.

Il y eut, tout d'abord, une série de deuils fami-
liaux. Son demi-frère, Isaac, décède lorsqu'il a dix-
sept ans, puis sa belle-mère, Esther, lorsqu'il en a
vingt, et, un an plus tard, en 1654, son père, puis
sa sœur Myriam, qui meurt en couches en donnant naissance à son neveu, Daniel. En quelques
années, il perd brutalement ses êtres les plus chers.
Dans le même temps, l'entreprise paternelle,
qu'il a tenté tant bien que mal de gérer avant et
après le décès de son père, connaît de grandes

difficultés financières. À tel point qu'il demande et obtient, le 26 mars 1656, de la Cour suprême des Pays-Bas d'être libéré de son héritage et des lourdes dettes qu'il implique.

Depuis qu'il ne suit plus les cours talmudiques et fréquente de moins en moins la synagogue, ses relations n'ont cessé de se dégrader avec la communauté juive. Selon Pierre Bayle, les autorités religieuses lui proposèrent une rente annuelle afin qu'il feigne de suivre les rites et ne divulgue pas ses idées philosophiques. Et de préciser qu' « il ne put se résoudre à une telle hypocrisie ». Colerus confirme les faits et affirme qu'il tient l'information de la bouche des amis chez qui Spinoza passa les dernières années de sa vie : il leur aurait confié qu'il avait décliné la somme de 1 000 florins annuels, préférant la pauvreté au mensonge. Ces mêmes amis, les Van der Spyck, auraient aussi rapporté le fait suivant : « Il leur a souvent raconté qu'un soir, sortant de la vieille synagogue portugaise, il vit quelqu'un auprès de lui, le poignard à la main ; ce qui l'ayant obligé à se tenir sur ses gardes et à s'écarter, il évita le coup, qui porta seulement dans ses habits. Il gardait encore le manteau, percé du coup, en mémoire de cet événement[1]. »

Après cette tentative d'assassinat, Spinoza prend pour devise le mot latin *Caute*, « Méfie-toi ».

---

1. Colerus, *op. cit.*, p. 1310.

Un homme meurtri

Ce qui le conduira par la suite à renoncer à publier certains de ses ouvrages ou bien à les publier sous un nom d'emprunt. Peu de temps après cet événement tragique, comme aucun arrangement ne semblait possible entre le jeune homme et les autorités de la synagogue, ces dernières prirent la décision de bannir définitivement Spinoza de la communauté. Le 27 juillet 1656, se déroule dans la synagogue d'Amsterdam une cérémonie aussi rare que violente : les anciens prononcent un *herem*, un acte solennel de « séparation », envers Baruch Spinoza, alors âgé de vingt-trois ans. Le texte a été retrouvé dans son intégralité : « À l'aide du jugement des saints et des anges, nous excluons, chassons, maudissons et exécrons Baruch de Spinoza avec le consentement de toute la sainte communauté en présence de nos livres saints et des six cent treize commandements qui y sont enfermés. Nous formulons ce *herem* comme Josué le formula à l'encontre de Jéricho. Nous le maudissons comme Élie maudit les enfants et avec toutes les malédictions que l'on trouve dans la Loi. Qu'il soit maudit le jour et maudit la nuit. Qu'il soit maudit pendant son sommeil et pendant qu'il veille. Qu'il soit maudit à son entrée et qu'il soit maudit à sa sortie. Veuille l'Éternel ne jamais lui pardonner. Veuille l'Éternel allumer contre cet homme toute Sa colère et déverser sur lui tous les maux mentionnés dans le livre de la Loi : que son nom soit effacé dans ce monde et à tout jamais, et qu'il plaise à Dieu de le séparer de toutes les tribus d'Israël en l'affligeant de toutes les malédictions que contient la Loi. Et vous qui restez attachés à l'Éternel, votre Dieu, qu'Il vous conserve en vie. Sachez que vous ne devez avoir avec Spinoza aucune relation écrite ni verbale. Qu'il ne lui soit rendu aucun service et que personne ne l'approche à moins de quatre coudées. Que personne ne demeure sous le même toit que lui et que personne ne lise aucun de ses écrits[1]. »

Le texte du *herem* est précédé d'une explication émanant du conseil de la communauté, qui justifie le bannissement du jeune homme par d'« horribles hérésies » qu'il pratiquait et enseignait, par des « actes monstrueux » ainsi que son refus de se détourner de « sa mauvaise voie ». Les historiens se sont perdus en conjectures pour savoir à quels actes et hérésies précis faisaient allusion les autorités juives. Un premier élément de réponse nous vient du témoignage apporté auprès de l'Inquisition espagnole par deux Espagnols qui affirment avoir rencontré, fin 1658, Spinoza et son ami Juan de Prado (lui-même frappé, en février 1658, d'un *herem*, mais moins virulent). Les deux hommes leur auraient confié que Dieu n'était pas révélé et n'existait que philosophiquement, que la Loi juive était fausse et que l'âme ne survivait pas

---

1. Steven Nadler, *Spinoza*, traduit par Jean-François Sené, Bayard, 2003.

au corps. Des idées qui ne sont guère éloignées de celles que Spinoza développe plus tard dans son *Traité théologico-politique* et qui suffisent à expliquer la violence des autorités religieuses à son égard. Reste une autre hypothèse, plus politique, évoqué notamment par l'historien Steven Nadler, qui a sans doute influencé aussi leur décision. Les notables juifs d'Amsterdam étaient très attachés aux autorités religieuses et politiques les plus conservatrices du pays : les calvinistes et la maison d'Orange, qui étaient en conflit avec le parti républicain et libéral de Jean de Witt. Les positions antireligieuses et pro-républicaines de Spinoza ne pouvaient qu'affaiblir la communauté juive, la fragiliser vis-à-vis de ses principaux soutiens. Puisqu'il refusait de taire publiquement ses idées hétérodoxes et libérales, mieux valait se séparer publiquement de cet homme. D'autant plus que Spinoza avait refusé de renoncer à ses « hérésies » et entama même la rédaction d'une *Apologie* pour se justifier. Ce texte n'a jamais été retrouvé, et il est fort probable qu'il ait servi d'ébauche au *Traité théologico-politique*.

Cette terrible condamnation a pour effet immédiat de contraindre Baruch à quitter la maison familiale et de rompre les liens qu'il avait avec sa sœur Rebecca et son jeune frère Gabriel. Hormis ses quelques affaires personnelles (dont quatorze livres), il ne demande qu'une seule chose aux derniers membres de sa famille : emporter le lit à baldaquin parental dans lequel il fut conçu. Il quitte le quartier juif pour être hébergé, pendant probablement quelques années, par Van den Enden, qui possède une jolie maison sur le canal Singel. Baruch paye le loyer de sa chambre, ses repas, l'encre et le papier dont il a besoin pour écrire, en donnant des cours d'hébreu aux étudiants qui souhaitent lire la Bible dans la langue où elle fut écrite.

Dans les premières pages du *Traité de l'entendement*, Spinoza faisait très clairement allusion aux maux et aux tristesses que peut procurer l'attachement à l'argent, aux honneurs et aux plaisirs sensuels. On le comprend bien, compte tenu des soucis financiers et de l'opprobre public qu'il venait de vivre. Mais qu'en est-il des plaisirs sensuels ? Il est possible que Spinoza ait perdu son pucelage en fréquentant des filles de joie, et qu'il ait ressenti la fameuse tristesse post-coïtale, d'autant plus vive que l'acte était fait sans amour. Ce qui est plus probable encore, c'est qu'il ait ressenti du désir et de l'amour pour la fille unique de son maître : Clara-Maria. Lorsque Baruch a rencontré Van den Enden, vers 1652, celle-ci n'était âgée que de douze ans. Lorsqu'il s'installe chez son maître, la jeune fille en a seize et fréquente d'autant plus régulièrement Baruch qu'elle lui donne des cours particuliers de grec et de latin. Elle joue aussi du piano. « Comme Spinoza avait occasion de la voir et de lui parler très souvent, écrit Colerus, il en devint amoureux ; et il a souvent avoué qu'il avait eu dessein de l'épouser. Ce n'est pas qu'elle fût des plus belles ni des mieux faites, mais elle avait beaucoup d'esprit, de capacités et d'engouement, ce qui avait touché le cœur de Spinoza[1]. »

Malheureusement, Baruch a un rival en la personne d'un étudiant allemand venu de Hambourg, du nom de Kerkering. Selon Colerus, ce dernier sut conquérir le cœur de la jeune femme en lui offrant un collier de perles. Cela semble un peu court et pour le moins vénal pour une jeune fille si fine et cultivée, qui, par ailleurs, n'était pas dans le besoin. La vraie raison de son choix en faveur de Kerkering me semble bien davantage tenir au fait que ce dernier, de confession luthérienne, accepta de se convertir au catholicisme pour épouser Clara-Maria, qui était une fervente catholique. Nul doute, dès lors, que les origines juives de Spinoza, comme son refus de se convertir au christianisme et de se faire baptiser, jouèrent un rôle autrement plus déterminant dans le choix de la jeune fille. Baruch fait très probablement allusion à cette peine de cœur et à ce désir contrarié lorsqu'il parle de la « maladie mortelle » qui l'a conduit à se jeter dans la quête

---

1. Colerus, *op. cit.*, 1308.

de la sagesse comme un remède vital. Comment non plus ne pas voir dans la tentative d'assassinat et dans son bannissement de la communauté le « péril extrême » auquel il faisait allusion ?

C'est donc en s'engageant corps et âme dans la réflexion sur lui-même et sur le monde que le jeune Baruch tente de soigner ses plaies si vives. Comme il le confie, il lui faut un peu de temps pour parvenir à se détacher des biens sensibles et matériels et pour découvrir que la joie intense que lui procure la quête de la vérité peut combler son existence. Il renonce définitivement à se marier et décide de partir vivre à la campagne afin de se concentrer entièrement à sa nouvelle passion, qui sera dorénavant celle de toute sa vie : la philosophie.

3

Un penseur libre

> « *Les démonstrations sont les yeux
> de l'esprit.* »

L es raisons de son départ d'Amsterdam pour
la petite ville de Rijnsburg, où il s'installe
vraisemblablement en 1660, à l'âge de vingt-sept
ans, ne sont pas totalement élucidées. Selon son
biographe Lucas, il fut condamné à quitter la
ville à la demande des rabbins, qui craignaient
que son influence grandissante ne fasse du tort
à leur communauté. Il semble plus probable que
Spinoza ait eu envie, après sa déception senti-
mentale, de quitter la maison de Van den Enden
et en même temps de se rapprocher de l'université de Leyde, où il demeure en contact régu-
lier avec des étudiants. La charmante petite ville
de Rijnsburg se trouve dans la campagne, à une
quarantaine de kilomètres d'Amsterdam, mais à

quelques kilomètres seulement de la célèbre université. Loin des querelles politiques et religieuses
des grandes villes, il y trouve un climat serein,
propice à la réflexion, mais aussi un réseau de
jeunes penseurs proches de ses idées.

On a en effet par trop caricaturé Spinoza en
ermite solitaire. Qu'il ait renoncé à fonder une
famille et décidé de s'installer à la campagne,
certes, mais il n'a pas pour autant renoncé à
toute vie sociale, et encore moins à échanger
avec d'autres penseurs. Bien au contraire, la
proximité de Leyde renforce ses liens avec des
réseaux intellectuels importants, ceux notamment
des collégiants et des mennonites. Les collèges
(dont les membres sont appelés « collégiants »)
sont des groupes de réflexion philosophique,
principalement issus des protestants anabaptistes
(qui prônent un baptême de conversion à l'âge
adulte). Leur centre principal se situe justement à
Rijnsburg. Les mennonites sont des anabaptistes
qui ne croient pas au dogme de la Sainte-Trinité
et développent une pensée tolérante et pacifiste.
Comme nous le verrons, les idées de Spinoza sont
beaucoup plus radicales que celles de ces chrétiens hétérodoxes et libéraux. Mais c'est au sein
de ces cercles de pensée ouverts au débat philosophique que Baruch trouve un accueil amical et
un terreau favorable aux échanges qui lui permettent de développer ses idées. Parmi ses principaux amis, issus de ces cercles, dont certains

deviennent vite de véritables disciples, les plus importants sont Simon de Vries, Jan Rieuwertsz, Pieter Balling et Jarig Jelles.

Héritier de riches marchands, de deux ans le cadet de Baruch, Simon de Vries consacre l'essentiel de son temps à organiser les collèges, et sa correspondance avec Spinoza montre qu'il organise, dès janvier 1663, des groupes de lecture et de discussion des premiers écrits du jeune philosophe. Jan Rieuwertsz est le fidèle éditeur de Spinoza. Ce mennonite habile et déterminé publie la plupart des textes d'auteurs subversifs. Jusqu'en 1646, sa librairie abrite les collèges avant que l'intervention des autorités, sous la pression des calvinistes, ne les oblige à quitter Amsterdam pour Rijnsburg. En 1657, il publie en néerlandais l'intégralité des œuvres de René Descartes, avant de publier l'intégralité des écrits de Baruch, souvent sous de faux noms d'auteur et d'éditeur. Décédé prématurément en 1664, Pieter Balling est l'un de ses premiers compagnons. Excellent traducteur, il a traduit en néerlandais le premier ouvrage de Spinoza, consacré à Descartes. Il a d'ailleurs probablement fait connaître la pensée du philosophe français au jeune Baruch lorsqu'il suivait des cours de latin chez Van den Enden.

Jarig Jelles est le plus ancien ami connu de Spinoza. De douze ans son aîné, ce négociant en épices décide de vendre son commerce au milieu des années 1650 pour se consacrer entièrement à la recherche spirituelle et philosophique. Fervent chrétien mennonite, c'est probablement lui qui introduit Spinoza dans les réseaux des collégiants. Il finance la publication de plusieurs de ses ouvrages et rédige la préface de l'édition posthume de ses œuvres.

Hormis ces collégiants et mennonites, qui constituent son cercle d'amis, de disciples et de bienfaiteurs le plus proche, Spinoza fait aussi la connaissance à l'université de Leyde de quelques étudiants qui jouèrent un rôle non négligeable dans sa vie ou dans la diffusion de ses idées. Ainsi, Adriaan Koerbagh suit avec Baruch des cours sur Descartes en 1660. Il devient bientôt l'un des principaux disciples de Spinoza et plusieurs de ses pamphlets anti-religieux lui vaudront d'être condamné et jeté en prison, où il mourra. Sur les bancs de l'université, Baruch se lie aussi d'amitié avec Louis Meyer, qui achève un doctorat de médecine et de philosophie. C'est lui qui supervise et préface l'édition du premier livre de Spinoza, les *Principes de la philosophie de René Descartes*, et c'est lui encore qui assistera Spinoza lors de sa mort et apportera très probablement ses manuscrits à leur ami et éditeur commun, Jan Rieuwertsz. Johannès Bouwmeester, également rencontré à Leyde, est un ami cher à Baruch, qui crée avec Louis Meyer une société littéraire avant de diriger le prestigieux théâtre d'Amsterdam. Il contribue largement à la diffusion des idées spinozistes.

À ces amis, ajoutons un personnage influent, qui inaugure la correspondance de Spinoza, à partir de l'été 1661 : Henry Oldenburg. Ce savant allemand vit en Angleterre, où il vient de cofonder, en 1660, la fameuse Royal Society, qui anime au fil des ans le principal réseau européen de circulation des idées et des découvertes scientifiques. Il tient un rôle essentiel dans la diffusion des idées de Spinoza à travers l'Europe savante, et on a conservé un échange de trente et une lettres entre les deux hommes.

C'est donc à Rijnsburg, entouré de ce dense réseau d'amis et de disciples, que Spinoza commence à écrire son *Traité de l'entendement*, mais aussi qu'il leur transmet des enseignements qui donneront matière à deux ouvrages. Le *Court traité de Dieu, de l'homme et de sa béatitude*, qu'il ne publiera pas de son vivant, sans doute parce qu'il reprendra et développera l'essentiel de ses thèses dans son *Éthique*. Puis un livre, édité en 1663, dont le titre doit être un des plus longs et des plus alambiqués de l'histoire de la philosophie : *Première et seconde parties des Principes de la philosophie de René Descartes, démontrée à la façon des géomètres, suivies des Pensées métaphysiques.*

Le miracle Spinoza

J'ai déjà eu l'occasion de le mentionner : l'œuvre de Descartes a exercé une influence considérable sur toute l'intelligentsia européenne du XVIIe siècle, et sur Spinoza en particulier. Mathématicien et physicien, Descartes a cherché à émanciper la philosophie de la théologie chrétienne, à laquelle elle était soumise depuis la fin de l'Antiquité. En cela, il peut être considéré comme le père de la philosophie moderne. Il libère la réflexion philosophique de l'autorité théologique et relie sa méthode démonstrative aux mathématiques. Ainsi, il ouvre un champ immense de recherches, tant dans le domaine de la philosophie à proprement parler que dans celui des sciences, auxquelles il apporte une méthode réductionniste et déductive féconde. De 1629 à 1649, il vit aux Pays-Bas, où il publie l'essentiel de son œuvre. À partir du milieu du XVIIe siècle, la plupart des penseurs qui entendent mener une réflexion de manière libre et marier la philosophie et la science se définissent comme « cartésiens », sans pour autant épouser toutes les idées de Descartes. Il en va ainsi de Spinoza. Dans ce premier ouvrage, il rend hommage au grand philosophe français qui a ouvert une voie nouvelle, mais il demande aussi à son ami, Louis Meyer, de préciser dans sa préface qu'il n'épouse pas les vues de Descartes dans bien des domaines : « Que nul ne croie donc que l'auteur enseigne ici ses propres idées ou même celles qu'il approuve ;

car, encore qu'il en estime certaines valables, qu'il avoue en avoir ajouté quelques-unes, il en rejette cependant beaucoup qu'il estime fausses et leur oppose une opinion foncièrement opposée[1]. » Nous verrons plus loin quelles sont ces divergences essentielles.

Si la pensée de Descartes constitue la principale influence sur le jeune Spinoza, on peut avoir une idée précise des autres auteurs qu'il fréquentait assidûment grâce à sa bibliothèque, dont l'inventaire précis a été établi après son décès par le notaire chargé de la vente aux enchères de ses rares biens. Elle comprenait alors cent cinquante-neuf livres. On y trouve de nombreux genres : Bible et religion juive ; ouvrages scientifiques : médecine, anatomie, mathématique, physique et optique ; littérature espagnole (Cervantès) ; poètes, comiques et historiens latins (Ovide, Virgile, Tacite, César, Tite-Live, Cicéron, Flavius Josèphe, Pline, etc.) ; et finalement très peu de livres de philosophie : la *Rhétorique* d'Aristote, un ouvrage de Lucrèce, quelques ouvrages des stoïciens et de Descartes, *Le Prince* de Machiavel. Autant dire, hormis Descartes et les stoïciens, que sa culture est plus littéraire et historique que philosophique. Il mentionne d'ailleurs dans

---

1. *Les Principes de la philosophie de Descartes*, préface, in Spinoza, *Œuvres complètes*, *op. cit.*, p. 152.

sa correspondance bien plus de citations tirées des poètes, tragédiens et historiens de la Rome antique que des philosophes.

Pour l'anecdote, signalons que tous ses ouvrages ont été dispersés à la mort de Spinoza, mais que, en 1900, un homme d'affaires néerlandais, Georges Rosenthal, a repris l'inventaire pour reconstituer la bibliothèque, en respectant les dates et éditions des ouvrages. Cette nouvelle bibliothèque (dont aucun ouvrage n'a évidemment appartenu à Spinoza) a été confiée à la « Spinozahuis », le petit musée de Rijnsburg, qui venait d'être créé dans l'ancienne maison où Spinoza a vécu. En 1942, la bibliothèque a été saisie par un corps expéditionnaire nazi sur ordre de l'idéologue du Parti national-socialiste, Alfred Rosenberg, fasciné par ce qu'il appelle le « problème Spinoza[1] », à savoir : comment un juif a-t-il pu être un aussi grand génie pour influencer un géant tel que Goethe ? La bibliothèque fut réexpédiée à Rijnsburg en 1946.

C'est donc dans cette maison, attenante à un verger, que Baruch élabore les fondements de son édifice philosophique. Il loue deux petites pièces au rez-de-chaussée à un couple, dont le mari est

---

1. Cet épisode a inspiré Irvin Yalom pour son excellent roman *Le Problème Spinoza* (LGF, 2014), dans lequel il met en parallèle la vie de Spinoza et celle de Rosenberg.

chirurgien, et prend tous les soirs le souper avec ses hôtes. Pendant quelques mois, il héberge un jeune homme à qui il enseigne les fondements de la philosophie de Descartes. Il confie dans une lettre à son ami Simon de Vries, qui enviait la chance qu'avait ce jeune homme de demeurer auprès de lui : « Vous n'avez pas de raison d'envier Casearius : personne en effet ne me pèse plus que lui, et il n'est personne pour qui j'ai plus de méfiance[1]. » Ce que redoute Baruch, c'est que ce jeune homme, dont il a à charge l'instruction philosophique, comprenne mal sa propre pensée et soit à l'origine de rumeurs qui lui vaillent des ennuis avec les autorités publiques. C'est pourquoi, sitôt achevé son ouvrage sur Descartes – et sans doute même en parallèle –, il s'attelle à l'écriture de son *Traité de la réforme de l'entendement,* dans lequel sont déjà posées les grandes lignes de son système, tel qu'il le déploiera plus tard dans l'*Éthique* : le bien et le mal sont relatifs, de même que le parfait et l'imparfait. « Tout ce qui se fait se fait selon un ordre éternel et des lois déterminées de la nature[2] » ; le souverain bien, c'est « la connaissance de l'union de l'esprit avec la nature totale[3] ». Et le jeune homme de se

---

1. Lettre IX à Simon de Vries, février 1663, in Spinoza, *Œuvres complètes, op. cit.,* p. 1087.
2. *Ibid.,* p. 106.
3. *Ibid.*

confier à nouveau : « Voilà donc la fin vers laquelle je tends : acquérir cette nature supérieure et tenter que d'autres l'acquièrent avec moi, car cela fait partie de mon bonheur de donner mes soins à ce que beaucoup d'autres comprennent comme moi, de sorte que leur entendement et leurs désirs s'accordent avec mon entendement et mes désirs[1]. »

Dorénavant réglée comme du papier à musique, l'existence de Baruch est sobre, sans verser dans l'ascèse. Il boit de la bière, fume la pipe et ne refuse rien qu'on lui offre à manger. Mais ses besoins sont limités à l'essentiel : se garder en bonne santé et travailler au calme dans un endroit apaisant. Il incarne parfaitement l'idéal du sage épicurien : satisfaire ses besoins nécessaires et non superflus, préférer la qualité des mets et des boissons à leur quantité, fréquenter quelques bons amis pour échanger des idées profondes dans un beau jardin. Colerus et Bayle, malgré leur hostilité aux idées de Spinoza, ne peuvent s'empêcher de louer son mode de vie sobre et vertueux, en soulignant aussi les qualités de son caractère. « Tous s'accordent à dire, écrit Bayle, que c'était un homme d'un bon commerce, affable, honnête, officieux, et fort réglé dans ses mœurs. » Et voici le portrait, tant physique que

---

1. *Ibid.*

moral, qu'en dresse Colerus : « Il était de taille moyenne ; il avait les traits du visage bien proportionnés, la peau un peu noire, les cheveux frisés et noirs, et les sourcils longs et de même couleur, de sorte qu'à sa mine on le reconnaissait aisément pour être descendu de Juifs portugais. Pour ce qui est de ses habits, il en prenait fort peu de soin et ils n'étaient pas meilleurs que ceux du plus simple bourgeois. [...] Au reste, si sa manière de vivre était fort réglée, sa conversation n'était pas moins douce et paisible. Il savait admirablement bien être le maître de ses passions. On ne l'a jamais vu fort triste, ni fort joyeux. Il savait se posséder dans sa colère et, dans les déplaisirs qui lui survenaient, il n'en paraissait rien au dehors [...]. Il était d'ailleurs fort affable et d'un commerce aisé, parlait souvent à son hôtesse, particulièrement dans le temps de ses couches, et à ceux du logis, lorsqu'il leur survenait quelque affliction ou maladie[1]. »

Ses divers biographes ont aussi été frappés par le désintéressement de Spinoza. Son riche ami, Simon de Vries, lui proposa de nombreuses fois de lui verser une rente annuelle, afin qu'il puisse se consacrer entièrement à l'écriture de ses livres. Baruch refuse. Il préfère travailler pour financer ses modestes besoins. Lorsque son ami décédera, lui laissant une rente annuelle très importante,

---

1. Colerus, *op. cit.*, p. 1319-1320.

Baruch demandera aux héritiers d'en récupérer la plus grosse partie, pour ne conserver qu'une somme modeste. Le métier qu'il a choisi, et qu'il a appris lors de son séjour chez Van den Eden, n'est pas anodin : polisseur de verre pour fabriquer des lunettes, des microscopes et des télescopes. Le célèbre astronome Christiaan Huygens vantera ses verres d'optique, à tel point que Spinoza est sans doute, de son vivant, aussi connu en Europe pour sa pensée que pour la qualité de ses verres. Comme le souligne Pierre-François Moreau, excellent spécialiste contemporain du philosophe, « c'est un moyen de gagner son pain, mais il s'agit aussi d'un travail à la limite de l'optique théorique et de la science appliquée – c'est la "technologie de pointe" à l'époque, comme le serait l'informatique de nos jours[1] ». Je trouve toutefois émouvant de penser que cet homme a consacré ses journées, en somme, à aiguiser des verres pour l'acuité visuelle et à aiguiser la pensée pour l'acuité de l'esprit humain. Les démonstrations « sont les yeux de l'esprit[2] », écrira d'ailleurs Spinoza l'éclaireur.

---

1. Pierre-François Moreau, *Spinoza et le spinozisme*, PUF, 2007, p. 18.
2. *Éthique*, V, 23, scolie.

4

Une lecture critique de la Bible

« Les vestiges d'un asservissement antique de l'esprit. »

Après avoir passé quelques années dans sa paisible retraite de Rijnsburg, Baruch décide de se rapprocher de La Haye et emménage à Voorburg, joli village situé à moins de trois kilomètres de la capitale politique des Provinces-Unies. C'est également là que réside Christiaan Huygens. On peut lire dans ce nouveau déménagement la volonté du jeune philosophe de se rapprocher des milieux politiques et d'étendre son influence. La république est en effet très fragile. Elle est gouvernée depuis 1653 par le grand pensionnaire Jean de Witt, un libéral éclairé, qui coordonne la politique économique et diplomatique des sept provinces. Mais elle est contestée par la maison d'Orange, qui souhaiterait rétablir une forme de monarchie calquée sur le modèle britannique, avec le soutien des calvinistes. Calvinistes et orangistes sont aussi favorables à un État fort, centralisé et conquérant, à l'image de la France catholique de Louis XIV, alors que les républicains souhaitent maintenir un État décentralisé, pacifiste et libéral. La république est d'autant plus fragile que son soutien populaire est relativement ténu. Comme nous allons le voir, Spinoza ne cesse de s'interroger sur les raisons qui font que le peuple préfère souvent être asservi à un pouvoir fort, voire tyrannique, plutôt que de s'émanciper au sein d'une république tolérante et libérale.

C'est dans sa nouvelle demeure qu'il décide de ralentir la rédaction de l'*Éthique*, pour se consacrer à la rédaction de son ouvrage politique et religieux majeur : le *Traité théologico-politique*. Pendant près de cinq ans, de 1665 à 1670, il s'adonne à cette tâche dont les motivations semblent diverses, comme il s'en explique dans une lettre à Oldenburg datée de 1665 : dénoncer les préjugés des théologiens qui maintiennent le peuple dans l'ignorance et s'opposent à une libre réflexion ; se prémunir contre l'accusation d'« athéisme », dont il est victime et qu'il récuse totalement ; défendre enfin la liberté de croyance, de pensée et d'expression qui est sans cesse menacée, même dans la république libérale des Provinces-Unies. C'est ce dernier point qu'il

met en avant dans l'exergue du livre pour en justifier l'écriture et souligner la thèse centrale de
son *Traité* : « Où plusieurs démonstrations sont
données de cette thèse : la liberté de philosopher
ne menace aucune piété véritable, ni la paix au
sein de la communauté publique. Sa suppression,
bien au contraire, entraînerait la ruine et de la
paix et de toute piété[1]. »

S'il a pour principale ambition de défendre la
liberté de penser, Spinoza prend bien soin, on le
voit, d'affirmer que celle-ci ne s'oppose en rien à
la piété, c'est-à-dire à la foi véritable. Mais ce qu'il
entend dénoncer avec force dès les premières pages
de son *Traité*, c'est la superstition, sur laquelle se
fonde trop souvent la religion pour prospérer. La
superstition, explique-t-il, n'existerait pas si le sort
nous était toujours favorable. C'est parce que la
vie est incertaine, faite de hauts et de bas, que
nous sommes portés à croire à toutes sortes de
fables, qui nous aident à conjurer la crainte et à
allumer l'espoir. Il remarque d'ailleurs que « les
plus ardents à épouser toutes espèces de supersti-
tions sont ceux qui désirent le plus immodérément
les biens extérieurs[2] ». Ceux qui savent se contenter de peu sont moins sujets à la superstition, tout

---

1. Spinoza, *Traité théologico-politique*, préambule, in *Œuvres
complètes*, *op. cit.*, p. 606.
2. *Ibid.*, préface, p. 607.

simplement parce qu'ils ont moins peur de perdre et, se contentant de ce qu'ils ont, ne nourrissent pas l'espoir d'obtenir autre chose. Mais, surtout, il explique que la superstition est le meilleur moyen de gouverner la masse et qu'elle prend le plus souvent le visage de la religion. Il livre, en passant, une brève mais incisive critique de la religion musulmane, affirmant que, nulle part ailleurs que chez les Turcs, la pensée est muselée au nom de la religion, afin d'éviter tout trouble politique : « La simple discussion passe pour un sacrilège et tant de préjugés absorbent le jugement que la saine raison ne saurait plus se faire écouter, fût-ce pour suggérer un simple doute[1]. » Dans une moindre mesure, il en va de même en Europe avec les monarchies, car, explique-t-il, « le grand secret du régime monarchique et son intérêt vital consistent à tromper les hommes, en travestissant du nom de religion la crainte, dont on veut les tenir en bride ; de sorte qu'ils combattent pour leur servitude, comme s'il s'agissait de leur salut[2] ». À l'inverse, la république, puisqu'elle entend respecter la liberté des hommes et se mettre à leur service plutôt que les dominer, n'a pas besoin d'user de la religion pour les empêcher de penser. Afin de mieux démontrer que la liberté de penser est tout aussi utile à la vraie foi qu'au maintien

---

1. *Ibid.*, préface, p. 609.
2. *Ibid.*

de la paix publique, Spinoza entend démasquer les ressorts profonds de la pseudo-religion fondée sur la superstition et mettre ainsi au jour, selon sa belle expression, « les vestiges d'un asservissement antique de l'esprit ».

Selon lui, la plupart des croyants n'ont conservé de la religion que le culte extérieur, et la foi, chez eux, ne consiste plus qu'en crédulité et préjugés, « de ceux qui réduisent les hommes raisonnables à l'état de bêtes […] puisqu'ils semblent inventés tout exprès afin d'éteindre la lumière de l'intelligence[1] ». Et Spinoza d'expliquer que ces préjugés proviennent essentiellement du fait que les croyants, au mépris des lumières de la raison, lisent les Écritures sacrées à la lettre et « posent pour commencer la divine vérité de son texte intégral[2] ». Afin de vaincre ces préjugés, il se propose donc de lire les Écritures à l'aide de la raison, de mieux comprendre le contexte historique dans lequel ces textes ont été écrits, ainsi que l'intention de leurs auteurs. C'est alors que Spinoza met au point une « méthode d'interprétation des livres saints ». Sa parfaite connaissance de l'hébreu biblique et des textes de l'Ancien Testament, mais aussi de l'araméen, du grec et du latin pour le Nouveau Testament, comme sa longue fréquentation des historiens de l'Antiquité,

1. *Ibid.*, p. 611.
2. *Ibid.*, p. 612.

notamment Flavius Josèphe, favorisent évidemment cette immense entreprise.

Spinoza commence par s'interroger sur la révélation divine, à travers la fonction prophétique. Qu'est-ce qu'un prophète ? Pourquoi et comment peut-on le considérer comme un transmetteur de la parole divine ? Ses propos, transmis par écrit, sont-ils toujours fiables ? Ses premières remarques, décisives, résument le fond de sa pensée : la révélation divine passe d'abord par les lumières naturelles de l'esprit. Dieu se révèle par la raison, capable de le connaître et de comprendre ses décrets éternels : les lois immuables de la nature. « Toute révélation de Dieu à l'homme a pour cause première la nature de l'esprit humain », écrit-il, et « la connaissance naturelle n'est inférieure en rien à la connaissance prophétique[1] ». En quoi la révélation prophétique se distingue-t-elle de la révélation par la connaissance naturelle ? Les prophètes ont-ils une intelligence supérieure aux autres hommes ? Sont-ils capables de communiquer « d'esprit à esprit » avec Dieu ? Nullement, répond Spinoza, passant en revue nombre d'exemples tirés de la Bible. C'est par le biais de l'imagination, et non de l'esprit, que s'exprime le don de prophétie. « Les prophètes ont été doués, non d'une pensée

1. *Ibid.*, chapitre I, p. 619 et 618.

plus parfaite, mais d'un pouvoir d'imagination plus vif[1]. » Passant en revue quantité d'exemples bibliques, d'Abraham à Ézéchiel, sans oublier Moïse et Élie, Spinoza montre que cette révélation par le seul biais de l'imagination pose un problème crucial aux prophètes : ils ne sont pas certains que c'est bien Dieu qui leur parle. Il en va bien sûr de même pour leur auditoire. Et Spinoza d'expliquer pourquoi les prophètes ont toujours accompli des « signes » (perçus par eux-mêmes et par leurs auditeurs comme des miracles, c'est-à-dire des interventions directes de Dieu transgressant les lois de la nature) : puisque l'imagination ne peut apporter un pouvoir de certitude aussi fort que la raison, il faut que la parole prophétique, pour être crue, soit accompagnée d'un prodige, ce dont la révélation par l'esprit n'a nul besoin : « La prophétie est donc inférieure à cet égard à la connaissance naturelle, qui n'a besoin d'aucun signe, mais enveloppe de sa nature la certitude[2]. » Nous verrons plus loin que Spinoza ne croit pas aux miracles : il s'agit, selon lui, de phénomènes inexpliqués (mais pas inexplicables), produits par la puissance de l'imagination et de l'esprit humain. Toujours est-il que la fonction prophétique s'accompagne toujours de signes. Il en va de même dans le Nouveau Testament :

---

1. *Ibid.*, chapitre I, p. 634.
2. *Ibid.*, chapitre II, p. 636.

Jésus se plaint d'ailleurs que ses auditeurs aient toujours besoin de signes pour croire. Or, précise encore le philosophe, les signes qu'accomplit le prophète, comme d'ailleurs son type de prophétie, sont fonction de sa sensibilité, de son tempérament, de ses opinions, de sa culture. Si le prophète, par exemple, est d'humeur joyeuse, il annoncera des événements positifs, susceptibles de mettre le peuple dans la joie. Si, au contraire, il est de tempérament colérique, il se fera le porte-parole de la colère divine, etc. De même, s'il vit à la campagne, sa révélation s'appuiera sur des images bucoliques, mais, s'il vit à la cour, il imaginera Dieu comme un roi entouré de sujets, et, s'il est soldat, comme le seigneur des armées. Bref, le discours prophétique ne doit jamais être pris à la lettre, mais toujours interprété, relativisé, précisément parce qu'il est relatif à l'imagination, au tempérament, aux opinions et au mode de vie du prophète. C'est la raison pour laquelle les prophètes divergent entre eux sur de nombreux points, à l'exception d'un seul, nous dit Spinoza : la nécessité de pratiquer la justice et la charité. Ces deux commandements constituent le leitmotiv de toutes les Écritures sacrées, et leur fonction essentielle, à travers toute une variété d'histoires et de récits qu'il ne faut jamais recevoir littéralement, consiste à enseigner aux hommes la nécessité de se montrer justes et charitables envers leur prochain.

Spinoza pose ensuite la question de la spécificité du peuple hébreu : a-t-il reçu en propre le don de prophétie et quelle est sa vocation particulière ? Il commence par expliquer que la notion d'« élection divine » n'a rien à voir avec la jouissance de la véritable béatitude : celui qui jouit du vrai bonheur ne se sent en rien supérieur aux autres et n'a pas besoin d'affirmer sa supériorité par une prétendue élection divine. « La joie qu'on éprouve à se croire supérieur, si elle n'est pas tout enfantine, ne peut naître que de l'envie et d'un mauvais cœur[1]. » Comment expliquer dès lors que Moïse n'ait cessé d'expliquer aux Hébreux que Dieu les a élus parmi les autres nations (Deutéronome, X, 15), qu'il est près d'eux et non des autres (Deut., IV, 4-7), qu'il leur a accordé le privilège de le connaître (Deut., IV, 32) ? Tout simplement, répond Spinoza, pour « exhorter les Hébreux à la connaissance de la loi[2] » et à cause de « la puérilité de leur esprit[3] ». Comme ils ne pouvaient accéder à la véritable béatitude par les lumières naturelles de la raison, il fallait leur tenir un discours adapté, qui, en les flattant, les incitait à suivre la loi divine qui se résume dans la pratique de la justice et de la charité. Moïse s'est donc adapté à l'esprit et

---

1. *Ibid.*, chapitre III, p. 652.
2. *Ibid.*, p. 652.
3. *Ibid.*, p. 653.

au cœur « endurci » des Hébreux pour les faire
grandir en humanité. Les mots utilisés par Spinoza
semblent très durs, mais ils ne font finalement que
reprendre ceux utilisés par Moïse et les prophètes
bibliques, qui ne cessent de se plaindre des vices
du peuple et de sa résistance à ouvrir son cœur et
son intelligence aux décrets divins. Là où Spinoza
diverge fortement de la lecture rabbinique (et
même chrétienne) traditionnelle de la Bible, c'est
qu'il ne considère pas que l'élection du peuple
hébreu soit le fait d'une quelconque préférence
de Dieu, mais un artifice pédagogique, afin que
les Hébreux comprennent et pratiquent la loi
divine, laquelle réside dans les lois immuables de
la nature : « Par gouvernement de Dieu, j'entends
l'ordre fixe et immuable de la nature, autrement
dit l'enchaînement des choses naturelles ; en effet,
nous avons dit plus haut et montré ailleurs que
les lois universelles de la nature suivant lesquelles
tout se produit et tout est déterminé, ne sont pas
autre chose que les décrets éternels de Dieu[1]. »
Une telle conception de Dieu et de sa providence
est évidemment aux antipodes de celle dominante
chez les juifs et les chrétiens, qui imaginent un
Dieu extérieur à la nature, doué de sensibilité
et de volonté à la manière humaine, capable de
s'éprendre d'un peuple particulier pour se révéler
(puis ensuite pour les chrétiens, selon le même

---

1. *Ibid.*, p. 653.

modèle de l'élection, qui aimera d'un amour singulier le peuple des baptisés). Pour Spinoza, ces représentations anthropomorphiques relèvent de la peur et de l'ignorance, ce que Freud, plusieurs siècles plus tard, tentera de montrer en reliant ces représentations « enfantines » d'un Dieu extérieur au monde, tout-puissant, aimant et protecteur, au « désemparement » ressenti par l'enfant prenant conscience que le monde est dangereux, qu'il va mourir un jour et que ses parents ne sont pas suffisamment puissants pour le protéger[1]. Même si, comme nous le verrons plus loin, la pensée de Spinoza est beaucoup moins matérialiste que celle de Freud, il n'en demeure pas moins que c'est précisément ce qu'il explique dans son *Traité théologico-politique*, et l'on comprend pourquoi, si ces idées, comme c'est probable, étaient en germe dans son esprit quelques années plus tôt, il a été banni avec une telle violence de la communauté juive.

Au surplus, Spinoza aggrave son cas lorsqu'il approfondit la question de l'élection du peuple hébreu. Même s'il en montre le caractère purement pédagogique et relatif, il ne le nie pas non plus. Il considère en effet que, selon les décrets divins (ou lois de la nature), ce que le peuple hébreu a de singulier (ce en quoi il parlera d'« élection »), « consiste dans la seule félicité

---

1. Sigmund Freud, *L'Avenir d'une illusion*.

temporelle de leur État et dans les avantages
matériels[1] ». Reprenant les prophéties bibliques,
Spinoza entend en effet montrer que la seule
chose que Dieu a promise aux patriarches, c'est
la constitution d'une nation puissante, d'un État
fondé sur sa Loi, qui garantisse au peuple sa
sécurité matérielle. « La Loi ne promet rien
d'autre aux Hébreux en retour de leur obéissance que l'heureuse continuation de leur État et
les autres avantages de cette vie, et, au contraire,
la ruine de l'État et les pires désastres s'ils sont
insoumis et rompent le pacte[2]. » L'élection est
donc collective, temporelle et même provisoire :
la notion d'élection divine n'a plus aucun sens
depuis la destruction de l'État théocratique
d'Israël, il y a plus de 2 500 ans. Dès lors, les
juifs ne sont plus tenus de se soumettre aux pré-
ceptes de la Loi de Moïse, mais, comme tout être
humain, à ceux de la raison naturelle qui dicte,
par la loi divine « inscrite dans notre cœur », une
conduite juste et bonne[3].

Spinoza achève sa réflexion sur la prophétie
en insistant sur la nécessaire distinction entre la
loi divine, entendue comme vraie connaissance et
amour de Dieu, et la loi divine, entendue comme

---

1. *Ibid.*, chapitre III, p. 655.
2. *Ibid.*, chapitre III, p. 656.
3. *Ibid.*, chapitre V, p. 683.

règles et prescriptions religieuses à travers le culte et les cérémonies. La véritable loi divine, pour Spinoza, ce n'est pas l'observance du culte et des rituels, mais la poursuite du souverain bien, la béatitude qui nous vient de la connaissance et de l'amour de Dieu. Ce thème essentiel couronnera son *Éthique*, et nous y reviendrons, mais, puisqu'il l'évoque déjà dans le *Traité théologico-politique,* commençons à l'expliciter. Reprenant l'adage aristotélicien suivant lequel l'entendement (le *noos* grec, que l'on pourrait aussi traduire par « esprit ») est la meilleure partie de notre être, notre souverain bien et notre plus grande félicité consistent dans la perfection de notre esprit. Aristote affirmait déjà que c'était la contemplation divine, activité parfaite de notre esprit, qui nous apportait le bonheur suprême[1]. Spinoza abonde en ce sens : « C'est en la connaissance et en l'amour de Dieu que consiste notre souverain Bien et notre béatitude[2]. » Il s'ensuit que la loi divine, inscrite dans notre esprit et dans notre cœur, consiste à aimer Dieu, non pas par crainte d'un quelconque châtiment, mais parce que cette connaissance et cet amour constituent « la fin ultime et le but de toutes les actions humaines[3] ». C'est à travers la connaissance de la nature et de

---

1. Aristote, *Éthique à Nicomaque*, X, 7.
2. *Ibid.*, *Traité théologico-politique*, chapitre IV, p. 669.
3. *Ibid*, p. 670.

ses lois que le philosophe accède à cette connaissance et à cet amour de Dieu. Spinoza concède
toutefois que peu d'hommes y parviennent, et
c'est en cela que les Écritures sacrées sont utiles
à l'homme : même si elles ne lui apportent pas la
joie suprême de la contemplation divine, elles lui
donnent des règles de conduite nécessaires à la vie
sociale, notamment la pratique de la justice et de
la charité. Ainsi, il distingue la loi divine, « innée
à l'âme humaine et comme inscrite en elle[1] », qui
conduit à la béatitude, de la loi religieuse, qui vise
à éduquer l'homme par des commandements, en
vue de la pratique de l'amour et de la justice.

Spinoza explique que le but des cérémonies
et des rituels consiste à imposer une sorte de
« servitude volontaire » – « faire que les hommes
n'agissent jamais suivant leur propre décret, mais
toujours sur le commandement d'autrui[2] » – afin
de favoriser la vie sociale. Il cite en exemple des
rites chrétiens (baptême, messe, fêtes, etc.) qui ont
été institués par le Christ et les apôtres comme
« des signes extérieurs de l'Église universelle et
non pas comme des choses qui contribuent à la
béatitude ou qui ont en elles-mêmes un caractère sacré ». Mais finalement, conclut Spinoza,
paraphrasant Jésus et Paul[3], on juge l'homme à

---

1. *Ibid.*, chapitre V, p. 679.
2. *Ibid.*, p. 687.
3. Galates, V, 22.

ses fruits, et « celui qui porte des fruits tels que l'amour, la joie, la paix, l'égalité d'âme, la bonté, la bonne foi, la douceur, l'innocence, la maîtrise de soi, [...] qu'il ait été instruit par la seule Raison ou par la seule Écriture, est bien réellement instruit par Dieu et possède la béatitude[1] ».

Spinoza se penche ensuite sur la question des miracles, dont il rappelle la fonction de « signes », mais il estime tout à fait erroné de les considérer comme des actes divins contredisant les lois naturelles : « Si l'on admettait que Dieu agit contrairement aux lois de la nature, on serait obligé d'admettre aussi qu'il agit contre sa propre nature, et rien ne peut être plus absurde[2]. » Les prodiges rapportés dans les Écritures, soit n'ont pas réellement eu lieu, et il importe de les lire comme des récits symboliques, soit ont bel et bien eu lieu, et la raison humaine sera certainement un jour capable d'en donner une explication.

Il se livre enfin à une étude plus approfondie de la méthode visant à interpréter l'Écriture. Ces derniers chapitres commencent par une charge violente contre les clercs, les théologiens et les autorités religieuses, qui utilisent et interprètent les Écritures afin de consolider leur pouvoir

---

1. *Traité théologico-politique*, chapitre V, p. 692.
2. *Ibid.*, chapitre VI, p. 695.

et d'étendre leur domination sur les hommes :
« Seule une ambition criminelle a pu faire que la
religion consistât moins à obéir aux enseignements
de l'Esprit-Saint qu'à défendre des inventions humaines, bien plus, qu'elle s'employât à répandre
parmi les hommes, non pas l'amour, mais la lutte
et la haine la plus cruelle sous un déguisement
de zèle divin et de ferveur ardente[1]. » En notre
époque marquée par un nouveau déchaînement
des passions religieuses et de massacres d'inno-
cents commis au nom de Dieu, cette parole de
Spinoza frappe par sa pertinence. L'interprétation
des Écritures ne doit donc surtout pas être réser-
vée à une caste qui s'en arrogerait le droit ou
le monopole. En cela, Spinoza est plus proche
des protestants que des catholiques, puisque l'un
des fondements de la Réforme consiste justement
à dessaisir le clergé catholique du monopole de
l'interprétation des Écritures afin de le généra-
liser à tous les fidèles, qui doivent les interpréter
en communion les uns avec les autres.

La méthode proposée par Spinoza pour interpréter les Écritures repose évidemment sur la
raison commune à tous les humains : « Puisque
la plus haute autorité appartient à chacun pour
interpréter l'Écriture, il ne doit pas y avoir
d'autres règles d'interprétation que la lumière
naturelle commune à tous ; il n'y a pas de lumière

---

1. *Ibid.*, chapitre VII, p. 712.

supérieure à la nature, il n'y a pas d'autorité extérieure aux hommes. » Ainsi fondée en raison, sa méthode propose trois critères essentiels. Tout d'abord, la maîtrise des langues dans lesquelles les Écritures ont été rédigées, à commencer par l'hébreu biblique, tant pour l'Ancien Testament que pour le Nouveau qui, bien qu'écrit en grec, regorge d'hébraïsmes. Il s'agit ensuite de noter et de regrouper tous les thèmes abordés dans les divers livres de la Bible, puis de relever leurs contradictions et leurs ambiguïtés. Il s'agit enfin de recueillir le maximum d'informations historiques concernant l'époque, le contexte culturel et politique dans lequel les livres ont été écrits, et, si on le peut, sur la personnalité et l'intention de leurs auteurs, ainsi que sur le public à qui ils étaient destinés. L'enquête doit aussi porter sur l'histoire de chaque livre : dans quelles mains sont-ils tombés, qui les a reconnus comme canoniques, comment ont-ils été regroupés, etc. ?

En quelques pages, Spinoza pose les fondements d'une lecture historique et critique de la Bible (que l'on pourrait tout aussi bien appliquer au Coran ou à tout autre texte sacré). Il faudra attendre plus de deux siècles pour que cette méthode scientifique prospère, d'abord dans les milieux protestants, puis dans les milieux catholiques. Et il est fascinant de constater que les principes énoncés par Spinoza sont toujours mis en œuvre aujourd'hui. On peut donc le considérer comme le fondateur de l'exégèse moderne. Mieux encore, alors qu'il avait à son époque beaucoup moins de matériel historique pour mener à bien son enquête, l'exégèse contemporaine a validé l'essentiel de ses conclusions : à savoir notamment que la Torah (le Pentateuque) n'a pas été écrite par Moïse lui-même, mais par un auteur bien plus tardif[1], et que cet auteur est très probablement le prêtre et scribe Esdras[2] qui ramena des milliers d'exilés judéens de Babylone à Jérusalem en 459 avant notre ère. C'est dans le souci de revivifier la religion juive qu'il rédigea la Torah à partir de nombreuses traditions orales et de quelques sources écrites. Au XVIIᵉ siècle, une telle affirmation était parfaitement irrecevable, tant pour les juifs que pour les chrétiens. De nos jours, elle fait l'unanimité chez les savants et ne heurte plus la plupart des croyants. Seuls les juifs orthodoxes et les chrétiens fondamentalistes la récusent, continuant d'affirmer, envers toute raison, que la Torah a été écrite mot pour mot par l'œuvre de Moïse et date environ du XIIᵉ siècle avant notre ère.

Spinoza est parfaitement conscient du scandale que vont provoquer ses analyses : « Ceux pour qui la Bible, telle qu'elle est, est comme une lettre de Dieu envoyée du ciel aux hommes, ne manqueront pas de clamer que j'ai commis le péché

---

1. *Ibid.*, chapitre VIII, p. 739.
2. *Ibid.*, p. 745.

contre le Saint-Esprit ; j'ai posé en effet que la parole de Dieu est fausse, mutilée, déformée, que nous n'en avions que des fragments, qu'enfin la charte attestant le pacte conclu par Dieu avec les Juifs a péri. » Et d'ajouter, avec ce mélange d'enthousiasme et d'optimisme qui le caractérise : « Je ne doute pas cependant que, s'ils consentent à examiner la question, ils ne cessent de protester. C'est moins la raison en effet que les textes mêmes des prophètes et des apôtres qui le proclament : la parole éternelle de Dieu, son pacte et la vraie religion sont divinement écrits dans le cœur de l'homme[1]. »

Selon Spinoza, l'Écriture n'est pas là pour nous donner des explications scientifiques du monde (l'affaire Galilée est encore dans tous les esprits), mais des règles de vie édictées dans une liste de commandements auxquels il faut se soumettre. Ces règles se résument essentiellement à la pratique de la justice et de la charité, qui fondent toute vie sociale harmonieuse. Mais, tandis que la raison naturelle, et donc la philosophie, nous permettent d'y souscrire par notre libre consentement et notre plein entendement, la foi nous invite à les respecter par obéissance. « Comment ne pas voir que l'un et l'autre Testaments ne veulent point donner d'autre leçon ? Que l'un

---

1. *Ibid.*, chapitre XII, p. 786-787.

et l'autre ne se sont fixé pour objectif d'obtenir une soumission volontaire[1]. » La foi et l'observance des commandements religieux, même s'ils sont servitude, peuvent malgré tout conduire au bonheur par la pratique de l'amour du prochain, commandement qui constitue « la norme unique de la foi universelle[2] ». Spinoza cite la première Épître de Jean l'Évangéliste : « Quiconque aime est enfant de Dieu et connaît Dieu, mais celui qui n'aime pas son prochain ne connaît pas Dieu, car Dieu est amour[3]. »

Il convient donc, pour finir, de bien distinguer la pensée de la foi, la philosophie de la théologie. La philosophie cherche la vérité et la béatitude suprême, tandis que la foi vise à l'obéissance et à la ferveur de la conduite. Puisqu'elle est d'un autre ordre, « la foi laisse donc à chacun la liberté totale de philosopher[4] ». De même, la théologie n'est pas au service de la raison (mais de la foi), ni la raison au service de la théologie. « L'une et l'autre ont leurs royaumes propres : la raison celui de la vérité et de la sagesse, la théologie celui de la ferveur croyante et de la soumission[5]. » Même s'il privilégie évidemment la quête rationnelle de la sagesse

---

1. *Ibid.*, chapitre XIV, p. 805.
2. *Ibid.*
3. I Jean, IV, 7-8.
4. *Traité théologico-politique*, chapitre XIV, p. 812.
5. *Ibid.*, chapitre XV, p. 818.

à la soumission de la foi, Spinoza n'en demeure pas moins conscient que «l'Écriture a apporté aux hommes une immense consolation. Tous, sans exception, peuvent obéir, tandis qu'une fraction assez faible du genre humain atteint à la valeur spirituelle, sans autre guide que la raison[1]».

1. *Ibid.*, p. 824.

5

Spinoza et le Christ

*« Il écrivit la loi divine à jamais
au fond des cœurs. »*

A vant de poursuivre l'étude du *Traité théologico-
politique* et de voir comment Spinoza envisage l'articulation du fait religieux et du politique
et la possibilité des démocraties modernes, je voudrais revenir, dans les deux chapitres qui suivent,
d'une part sur la manière étonnante dont Spinoza
considère le Christ, d'autre part sur la relation très
ambivalente qu'entretient la communauté juive,
depuis trois cent cinquante ans, avec Spinoza.

J'ai été extrêmement frappé en lisant les
écrits de Spinoza, et particulièrement le *Traité
théologico-politique*, par la place singulière qu'y
tient le Christ. Je dis le Christ, et non Jésus, car
c'est presque toujours par ce titre messianique

(qui signifie « oint » – c'est-à-dire « béni » – de Dieu) que Spinoza le désigne, à la suite des auteurs du Nouveau Testament. Rappelons-le : Spinoza n'a jamais envisagé de se convertir au christianisme, dût-il y perdre sa tranquillité et probablement le grand amour de sa jeunesse. Il affirme à de nombreuses reprises « ne rien comprendre » au dogme chrétien de la Sainte-Trinité et ne pas avoir besoin de suivre des rites religieux, quels qu'ils soient. Sa religiosité est une spiritualité toute personnelle, qui se construit par les seules forces de sa raison. Nous verrons qu'elle revêt des aspects qui confinent à une certaine forme de mystique naturelle immanente, mais jamais on ne pourra affirmer que Spinoza est un homme religieux. Il fut toujours, au péril de sa vie, un homme libre de toute croyance et de toute appartenance religieuse, ce qui lui vaudra d'être incompris et persécuté aussi bien par les autorités juives que chrétiennes. J'insiste sur ce point, car ce serait une erreur de lire ce que Spinoza dit du Christ comme une duplicité ou une stratégie (comme l'ont affirmé certains commentateurs) visant à s'attirer les bonnes grâces des chrétiens. Non seulement il n'en fut rien, mais c'est tout à fait contraire à son esprit libre et indépendant, incapable de se résoudre à la moindre concession à ce qu'il pense être la vérité. Cela ressort avec force dans sa correspondance : il persiste et insiste sur des aspects de sa pensée, au risque de heurter ses meilleurs amis et plus fidèles soutiens, notamment sur les questions religieuses. Tout au plus sa prudence l'incitera à renoncer à publier un texte pour éviter un déchaînement de passions, ou bien à le signer sous un nom d'emprunt. Mais jamais à travestir sa pensée.

Quelle conception a donc Spinoza du Christ ? Nous l'avons vu au chapitre précédent, selon lui, les prophètes reçoivent la parole divine au moyen de leur imagination. Les prophéties sont donc nécessairement conditionnées par la sensibilité, les opinions, les préjugés personnels et culturels des prophètes, et ne doivent pas être lues littéralement. Pourtant, Spinoza affirme, de manière très étonnante, que le Christ constitue une exception à cette règle : « Le Christ a eu révélation des desseins divins concernant le salut des hommes, non par l'intermédiaire de paroles ni de visions, mais immédiatement. [...] La voix du Christ peut donc être appelée la voix de Dieu, tout comme celle entendue jadis par Moïse. En ce même sens, nous pouvons dire aussi que la Sagesse de Dieu, c'est-à-dire une Sagesse surhumaine, s'est incarnée dans le Christ, et que le Christ devient voie de salut [...]. Le Christ a communiqué avec Dieu d'esprit à esprit. En conclusion, nous déclarerons qu'à l'exception du Christ personne n'a jamais reçu de révélation de Dieu sans le secours de l'imagination, c'est-à-dire de paroles ou d'images visuelles[1]. » Spinoza, qui connaît par cœur l'Ancien et le Nouveau Testament, tire cette conclusion de l'étude minutieuse des textes des Évangiles. Ce qui le frappe, en effet, dans le discours du Christ, c'est que cet homme simple, qui n'a reçu aucune éducation poussée, ne prononce que des paroles véritables, profondes et universelles. Dans l'*Éthique*, il suggère que le Christ correspond à l'homme libre véritable, qui n'a que des idées adéquates[2].

Au fond, le Christ incarne le modèle du sage, dont l'esprit est libéré de toutes les idées fausses et dont les affects sont parfaitement réglés par la raison. En cela, il peut être considéré, non pas comme l'« incarnation de Dieu », mais comme l'« émanation de la sagesse divine », comme il s'en explique dans une lettre à Henry Oldenburg : « Il n'est pas du tout nécessaire, pour faire son salut, de connaître le Christ selon la chair, mais il en est tout autrement du Fils éternel de Dieu, c'est-à-dire de la sagesse éternelle de Dieu, qui s'est manifestée en toutes choses, surtout dans l'esprit humain, et plus particulièrement en Jésus-Christ[3]. » À son interlocuteur s'inquiétant de savoir s'il croyait en l'incarnation de Dieu en l'homme Jésus, il répond que cette idée lui semble aussi « absurde

---

1. *Traité théologico-politique, op. cit.,* chapitre I, p. 624-625.
2. *Éthique,* IV, 68.
3. Lettre 73 à Henry Oldenburg.

que de dire que le cercle a pris la forme d'un carré ». De la même manière que l'homme Jésus est devenu le Christ dans la mesure où il a reçu et vécu en plénitude la sagesse divine, on peut dire que tout être humain possède « l'esprit du Christ[1] » s'il reçoit et vit la sagesse divine, c'est-à-dire s'il comprend et met en pratique les lois divines universelles. À ce titre, le Christ a transmis « des vérités éternelles, et, par là, il les libéra de la servitude de la loi et néanmoins la confirma et l'écrivit à jamais au fond des cœurs[2] ».

J'ai été d'autant plus frappé en lisant ces propos qu'ils formulent une de mes convictions profondes, que j'ai développée dans un livre intitulé *Le Christ philosophe*[3]. J'y soutenais en effet que l'essentiel du message de Jésus consistait en des principes éthiques universels, qui avaient si puissamment imprégné les cœurs et les esprits – malgré la subversion du message évangélique par les autorités religieuses, qui l'enfermèrent dans un cadre dogmatique et normatif – qu'il allait ressurgir, dix-huit siècles plus tard, de manière laïcisée et contre les Églises, à travers la morale universelle des droits de l'homme. Comme le précise

---

1. *Traité théologico-politique, op. cit.*, chapitre V, p. 691.
2. *Ibid.*, p. 675.
3. Frédéric Lenoir, *Le Christ philosophe*, Plon, 2007 ; Seuil, coll. « Point essais », 2009.

superbement Spinoza, le Christ « écrivit la loi divine à jamais au fond des cœurs », à commencer par le commandement de l'amour du prochain. Je pense également que le Christ n'est pas venu fonder une nouvelle religion avec de nouvelles règles, de nouveaux dogmes et un nouveau clergé, mais transmettre à l'humanité entière des « vérités éternelles[1] ». En cela, il incarne parfaitement la sagesse divine plus qu'il n'est, au sens spécifique du dogme chrétien, l'incarnation de Dieu. Même si, et j'y reviendrai à la fin du chapitre suivant, je pense que Spinoza a trop ignoré la dimension mystique de Jésus, qui était en communion d'amour intense avec celui qu'il appelle « Abba » (Père).

Ses contemporains ne s'y sont pas trompés, et la puissante admiration de Spinoza pour le Christ ne lui épargnera pas de violentes attaques de la part de chrétiens lui reprochant de saper le fondement même de leur foi : le mystère de l'incarnation et de la rédemption. Il suffit, pour s'en rendre compte, de lire la lettre que lui adresse, en 1675, Albert Burgh, le fils du ministre des Finances de la République de Hollande, et ami du philosophe. Après avoir été son disciple, le jeune

---

1. Voir à ce propos mon épilogue du *Christ philosophe*, dans lequel je commente longuement le chapitre IV de l'Évangile de Jean (« Il faut adorer Dieu en esprit et en vérité », comme le dit le Christ à la femme samaritaine).

homme venait de se convertir au catholicisme, en Italie. Il déplore que son ancien maître n'ait été détourné de la vérité par une puissance démoniaque : « Autant j'ai admiré jadis la subtilité et la profondeur de votre esprit, autant je vous plains aujourd'hui et déplore ce qui m'apparaît comme un malheur : un homme a reçu de Dieu les plus beaux dons de l'esprit, il aime passionnément la vertu, et le Malin, dans sa superbe malfaisante, parvient malgré tout à le tromper et à le perdre. Qu'est-ce que toute votre philosophie ? Une illusion pure, une chimère. [...] Quels faits fondent cette détestable arrogance, téméraire et insensée ? Pourquoi niez-vous que le Christ, fils du Dieu vivant, et Verbe de la Sagesse éternelle du Père, se soit incarné, ait souffert sur la croix pour le salut des hommes ? Parce que cela ne répond pas à vos principes. [...] Repentez-vous, philosophe, reconnaissez votre sage déraison et votre déraisonnable sagesse. Chassez l'orgueil, devenez humble et vous serez guéri. Adorez le Christ dans la très sainte Trinité afin qu'il ait pitié de vous et de votre misère[1]. » Cette longue lettre n'épargne aucune injure au philosophe – « votre bassesse plus misérable que les bêtes », « misérable être vil », « pâture des vers », etc. – et en dit long sur la haine qu'inspira Spinoza à des « fervents

---

1. Albert Burgh, lettre 67, in Spinoza, *Œuvres*, *op. cit.*, p. 1265, 1267, 1273.

catholiques ». Mais le plus extraordinaire, c'est que Spinoza ait pris la peine de répondre à son interlocuteur, et en des termes mesurés et courtois. Faisant fi de tout esprit polémique, mais non sans une subtile ironie, il cherche – certainement en vain – à faire comprendre à son ancien disciple, qui ne cessait de lui rappeler que hors de l'Église romaine il n'y avait point de salut, que « la sainteté de la vie n'appartient pas en propre à l'Église romaine : elle est commune à tous les hommes. Et puisque c'est à l'amour que nous connaissons (pour parler comme l'apôtre Jean, Épître I, ch. IV, v. 13) que nous demeurons en Dieu et que Dieu demeure en nous, tout ce qui distingue l'Église romaine des autres Églises est parfaitement superflu et n'est fondé que sur la seule superstition. Le signe unique et le plus certain de la vraie foi catholique et de la véritable possession de l'Esprit-Saint est donc, comme je l'ai dit avec Jean, la justice et la charité : là où on les trouve, le Christ est véritablement présent, là où elles manquent, manque aussi le Christ ». Belle leçon donnée à notre jeune converti un peu trop zélé, dont les propos sont assurément plus imprégnés de haine que de charité !

Au-delà des nombreuses paroles de Spinoza sur le Christ, dont je viens de résumer l'essentiel de la teneur, on pourrait aussi souligner les parallèles entre le message des Évangiles et la pensée spinoziste. J'ai déjà évoqué dans l'avant-propos de cet ouvrage que les deux doctrines insistent sur l'importance de ne pas porter de jugement. Je reviendrai sur ce point, et sur d'autres, dans les chapitres consacrés à l'*Éthique*.

6

Une trahison du judaïsme ?

« Dieu n'a plus à l'égard des Juifs d'exigence particulière, et leur demande uniquement d'observer la loi naturelle qui astreint tous les mortels. »

Attardons-nous quelques instants sur la question du rapport de Baruch Spinoza avec le judaïsme, mais aussi celui des juifs avec le philosophe et sa pensée au fil des siècles. Nous l'avons vu, Spinoza porte un regard critique sur la religion juive. On a pu évoquer le fait qu'il ait réglé des comptes avec sa religion et sa communauté d'origine, dont il a été violemment exclu. Ce serait inverser les causes et les effets, nous dirait Spinoza. C'est bien plutôt parce qu'il avait justement développé une vision extrêmement critique de la religion juive qu'il a subi ce bannissement.

Le miracle Spinoza

Qu'il en ait ensuite ressenti de la tristesse ou une amertume passagère, probablement, mais pas du ressentiment ni une haine durable, passions tristes que Spinoza a suffisamment bien analysées et dénoncées dans ses écrits pour qu'on puisse imaginer qu'il en ait lui-même été la proie. Ce serait d'ailleurs un très mauvais procès de penser que, par une sorte de haine de lui-même et de ses origines, il a réservé ses flèches au judaïsme : Spinoza critique avec la même force toutes les religions lorsqu'elles activent les passions tristes des individus, notamment la peur, pour mieux les asservir ; lorsqu'elles se détournent de leur unique vocation – favoriser le développement de la justice et de la charité par le biais de la foi – pour distiller la haine de l'autre et l'intolérance ; lorsque les croyants font preuve d'hypocrisie ou se croient supérieurs aux autres. C'est tout cela que Spinoza dénonce avec force dans toutes les religions. Voici, par exemple, ce qu'il écrit à propos des chrétiens : « Combien de fois n'ai-je pas observé avec étonnement des hommes, qui se vantent de professer la religion chrétienne, c'est-à-dire l'amour, la joie, la paix, la continence, la loyauté en toutes circonstances, se combattre avec la plus incroyable malveillance et se témoigner quotidiennement la haine la plus vive[1]. » Chaque fois qu'il évoque l'islam, c'est pour faire

---

1. *Traité théologico-politique, op. cit.*, préface, p. 610.

une virulente critique de la confusion des pouvoirs temporel et spirituel entretenue par la religion musulmane. Ainsi, dans sa lettre au jeune catholique Albert Burgh, évoquée au chapitre précédent, il écrit : « Je reconnais tout l'avantage de l'ordre politique qu'instaure l'Église romaine et que vous louez tant ; je n'en connaîtrais pas de plus apte à duper la foule et à dominer les âmes s'il n'existait l'Église musulmane, qui, de ce point de vue, l'emporte de loin sur toutes les autres[1]. » On pourra, certes, arguer que ce sont surtout les attitudes des croyants ou des autorités religieuses chrétiennes et musulmanes que Spinoza critique, alors qu'il sape les fondements mêmes de la religion juive en affirmant que l'élection est close, que l'observance de la Loi est inutile et que « Dieu n'a plus à l'égard des juifs d'exigence particulière, et leur demande uniquement d'observer la loi naturelle qui astreint tous les mortels[2] ». Pour un juif religieux ou même simplement attaché aux traditions, ces propos sont bien sûr parfaitement inaudibles et ressemblent fort à ce que pensent les auteurs chrétiens du Nouveau Testament.

Cela n'a pas échappé au grand philosophe et talmudiste Emmanuel Levinas, que j'ai bien connu à la fin de sa vie, l'ayant eu comme professeur à

---

1. Lettre 67, *op. cit.*, p. 1291.
2. *Traité théologico-politique*, *op. cit.*, chapitre V, p. 683.

l'université et ayant collaboré à un livre avec lui.
Dans un texte accusateur, Levinas entend expliquer
en quoi Spinoza porte une lourde responsabilité
dans le développement de la pensée antijuive. En
voici un large extrait : « Il existe une trahison de
Spinoza. Dans l'histoire des idées, il a subordonné
la vérité du judaïsme à la révélation du Nouveau
Testament. Celle-ci, certes, se dépasse par l'amour
intellectuel de Dieu, mais l'être occidental com-
porte cette expérience chrétienne, fût-ce comme
étape. Dès lors saute aux yeux le rôle néfaste joué
par Spinoza dans la décomposition de l'intelligentsia juive, même si pour ses représentants, comme
pour Spinoza lui-même, le christianisme n'est
qu'une vérité pénultième, même si l'adoration de
Dieu en esprit et en vérité doit encore surmonter
le christianisme. La reconnaissance des Évangiles
comme d'une étape inévitable sur la route de la
vérité importe plus de nos jours que la profession
même du credo. Judaïsme préfigurant Jésus – voilà par où le spinozisme fit accomplir au judaïsme
irréligieux un mouvement auquel, religieux, il
s'opposait pendant dix-sept siècles. [...] Grâce
au rationalisme patronné par Spinoza, le christianisme triomphe subrepticement[1]. »

Levinas tient probablement son « antispino-
zisme » de l'un de ses principaux maîtres : le

---

1. Emmanuel, Levinas, « Le cas Spinoza » (1956), in *Difficile
liberté*, Albin Michel, 1963.

rabbin Jacob Gordin (1896-1947), qui exécrait Spinoza et voyait en lui un des responsables de l'antisémitisme moderne. Il est vrai que Spinoza ne s'est pas contenté de saper le fondement même de la religion juive, il a eu aussi des paroles très dures envers « les Hébreux » ou « les juifs », de manière indistincte, qui purent éventuellement influencer la propagande antisémite, très violente dans les sociétés européennes jusqu'à l'avènement du nazisme, qui en constitua le point culminant. Ainsi, il critique l'arrogance des « Hébreux, qui, se vantant d'être au-dessus des autres humains, méprisaient tous les autres peuples ». Ou bien, ailleurs, il répond à une objection qui voudrait voir dans la longue existence du peuple juif, malgré tant d'épreuves, un signe de la permanence de son élection en affirmant que cette longue existence n'a rien de surprenant, même s'ils n'ont plus d'État, « les Juifs ayant vécu à l'écart de toutes les nations jusqu'à s'attirer la haine universelle, et cela non seulement par l'observation de rites extérieurs opposés à ceux des autres nations, mais par le signe de la circoncision auquel ils restent religieusement attachés ». C'est donc, selon Spinoza, leur particularisme et leur refus de s'assimiler qui suscitent l'antijudaïsme, et il ajoute encore : « Que la haine des nations soit très propre à assurer la conservation des juifs, c'est d'ailleurs ce qu'a montré l'expérience. » Autrement dit, les persécutions n'ont fait que renforcer le sentiment identitaire juif. De là à dire, ce que ne fait pas Spinoza, que les juifs sont finalement les responsables de tous leurs malheurs, il n'y a qu'un pas que ne manqueront pas de franchir certains antisémites modernes.

En fait, et c'est la raison ultime pour laquelle il suscite tant de controverses dans les milieux religieux et intellectuels juifs, Spinoza fait personnellement peu de cas de l'identité juive. Il est né juif, mais il se sentait citoyen du monde par la raison, et citoyen des Provinces-Unies par son identité sociale. Il est partisan de l'assimilation des juifs dans les sociétés où ils vivent, probablement convaincu aussi que cette assimilation favorisera leur émancipation, c'est-à-dire leur reconnaissance comme citoyens à part entière dans les diverses sociétés européennes. Cette idée a influencé un siècle plus tard les fondateurs de la *Haskala*, les Lumières juives, notamment Moses Mendelssohn (1729-1786), admirateur de la pensée de Spinoza, qui prône, à sa suite, un universalisme de la raison, tout en insistant sur la nécessité pour l'État de n'interdire aucun culte, à commencer par le judaïsme, s'il reste cantonné à la sphère privée. Au début du XIXᵉ siècle, Spinoza trouve de nouveaux partisans au sein du judaïsme, à travers les partisans allemands d'une « Science du judaïsme » (*Wissenschaft des Judentums*), qui entendent poursuivre la voie ouverte par le philosophe dans sa

lecture historique et critique de la Bible et émanciper le judaïsme de la stricte observance de la Loi
(*Halakha*). À la fin du XIXᵉ siècle et au début du
XXᵉ siècle, en plein essor d'un antisémitisme virulent, l'œuvre de Spinoza connaît encore un regain
de popularité parmi les sionistes, qui aspirent à la
création d'un État juif garantissant leur sécurité.
Ceux-ci, qui prônent un État laïque, voient en
Spinoza le père (juif) d'une modernité politique
laïque, mais sont sensibles aussi à une phrase
de son *Traité théologico-politique*, dans laquelle
il soutient que, « si les principes mêmes de leur
religion n'amollissaient pas leur cœur, je croirais
sans réserve, connaissant la mutabilité des choses
humaines, qu'à la moindre occasion les Juifs rétabliraient leur empire et que Dieu les élirait de
nouveau[1] ». C'est ainsi que David Ben Gourion,
alors Premier ministre du jeune État hébreu,
proposa en 1953 de faire de Spinoza un « père
fondateur » du nouvel État juif. Les rabbins
lui répondirent par une fin de non-recevoir. Ils
protestèrent aussi violemment lorsque, en 1956,
à l'occasion du 300ᵉ anniversaire du *herem* de
Spinoza, il envoya l'ambassadeur d'Israël aux
Pays-Bas assister à la cérémonie au cours de
laquelle on dressa, dans le cimetière où il avait
été enterré, une stèle commémorative, financée
par les dons de juifs israéliens, sur laquelle était

---

1. *Traité théologico-politique*, *op. cit.*, chapitre III, p. 665.

inscrit en hébreu : «*Amcha*», «Ton peuple». Ben Gourion, à qui on avait aussi demandé de faire lever le *herem* à cette occasion, se refusa à entreprendre cette démarche, non seulement parce qu'il savait cette cause perdue d'avance, mais aussi parce qu'il considérait que le *herem* était « nul et non avenu ». « Il y a, à Tel Aviv, une rue qui porte son nom, écrit-il, et il n'est pas une seule personne dotée de raison dans ce pays pour considérer que son exclusion est toujours en vigueur[1]. »

En 2012, toutefois, le grand rabbin d'Amster-dam fut sollicité par de nombreuses personna-lités juives, afin de lever le *herem* et de réinté-grer Spinoza dans la communauté. Il créa une commission pour étudier « le cas Spinoza » (à la-quelle participeront non seulement des religieux, mais aussi des philosophes et des historiens, tel Steven Nadler), laquelle conclut, en juillet 2013, qu'une telle levée était impossible non seule-ment parce que les motifs qui l'avaient motivée restaient intacts, mais surtout parce que Spinoza n'avait jamais exprimé le moindre repentir, ni le moindre désir de rejoindre la communauté juive.

Je souhaiterais clore ce chapitre par une re-marque personnelle plus générale sur le rapport

---

1. Cité par Irvin Yalom, in *Le Problème Spinoza*, Livre de Poche, 2014, p. 516.

de Spinoza à la religion. Certes, il sape les fondements de la religion juive, mais il sape tout autant le fondement dogmatique de la foi chrétienne en faisant de Jésus l'émanation de la sagesse divine, et donc le modèle du sage par excellence, et non le Fils unique de Dieu incarné et ressuscité d'entre les morts (Spinoza lit le récit de la Résurrection de manière spirituelle, et non littérale[1].) Comme nous l'avons évoqué, il fut aussi violemment attaqué par les chrétiens pour cette raison. Même s'il accorde au Christ un statut exceptionnel, même s'il se sent plus proche du Nouveau Testament que de l'Ancien, il propose en fait un dépassement de toutes les religions par la sagesse philosophique, qui conduit, comme nous le verrons à propos de l'*Éthique*, à « un amour intellectuel » de Dieu, source de la véritable béatitude. Il considère que les religions ne sont utiles au salut que pour ceux qui ne peuvent accéder à la compréhension des décrets éternels de Dieu et à la contemplation divine, mais ont encore besoin d'obéir à la loi divine à travers les commandements religieux. Bref, la religion, comme le diront deux siècles après lui Auguste Comte et Ludwig Feuerbach, correspond à un stade infantile de l'humanité. Son souhait le plus cher, c'est que les lumières de la raison permettent aux humains de découvrir Dieu et ses lois sans le secours de la

---

1. Lettre 75 à Henry Oldenburg, *Œuvres, op. cit.*, p. 1287.

loi religieuse et de tous les dogmes qui l'accom-
pagnent, qu'il considère comme des représentations puériles, sources de tous les abus de pouvoir possibles par les institutions religieuses qui
les promulguent et en sont les gardiennes.

De mon point de vue, ce que Spinoza a peut-
être négligé dans la religion, c'est, d'une part,
la dimension du cœur, qui peut conduire aux
plus hautes expériences mystiques, d'autre part,
sa dimension identitaire, fondée sur un sentiment d'appartenance de nature plus affective
que rationnelle. Le philosophe français Henri
Bergson (également d'origine juive) fut un fervent admirateur de Spinoza et, même s'il ne
partageait pas toutes ses thèses, n'a pas hésité à
écrire : « Quand on est philosophe, on a deux
philosophies : la sienne et celle de Spinoza. » Or
l'analyse que fait Bergson de la religion me semble
plus complète que celle de Spinoza. Dans son
dernier ouvrage, *Les Deux Sources de la morale
et de la religion*, il distingue en effet une religion
« close » ou « statique », qui correspond bien à
celle critiquée par Spinoza, dont la fonction dogmatique et normative vise à assurer la cohésion
sociale. Mais il s'intéresse aussi à une autre face
de la religion, « ouverte » et « dynamique » cette
fois, à travers l'expérience mystique. Il montre
en effet qu'on ne peut réduire l'expérience religieuse à la superstition (fondée sur la crainte) et à
l'observance docile de la loi. Il existe aussi, même

si c'est plus rare, une expérience des croyants fondée sur l'amour qui peut les conduire à des sommets d'humanité. Il prend ainsi en exemple les grands mystiques chrétiens et hindous (mais on pourrait en dire autant des spirituels de toutes les religions) et montre que leur mysticisme, fondé sur la foi et l'amour de Dieu, les conduit à une véritable liberté intérieure, une pratique exemplaire de la justice et de la charité et un formidable élan créateur. Autant de fruits de la sagesse ultime décrits par Spinoza, mais obtenus ici non par le raisonnement rationnel, mais par une foi aimante et fervente. Et Bergson ne voit pas dans le Christ tant le modèle du sage que celui du mystique, celui dont le cœur a été brûlé par l'amour divin, même si son intelligence est aussi vive.

J'ajouterai que Spinoza a sans doute aussi sous-estimé le rôle précieux que joue la religion en créant des « communions humaines », selon la jolie formule de mon ami Régis Debray. Au-delà d'une cohésion sociale purement rationnelle à laquelle aspire Spinoza, la religion relie les individus dans une ferveur émotionnelle, qui crée aussi un lien d'affects entre les individus et pas seulement de raison. Pour en revenir au judaïsme, pour beaucoup de juifs, être juif ne signifie pas tant croire en Dieu et pratiquer la Torah en vue du salut qu'observer les traditions familiales et communautaires, afin d'intégrer une

dimension identitaire collective dans la vie quotidienne à travers des rites et des symboles. Et ce
sentiment d'appartenance a plus à voir avec les
affects qu'avec la seule raison.

7

Le précurseur des Lumières

> « Le but de l'organisation en so-
> ciété, c'est la liberté. »

Rappelons le contexte dans lequel Spinoza écrit le *Traité théologico-politique* : une république, de type aristocratique, fragilisée d'une part par l'interventionnisme religieux de la puissante communauté calvinisme, d'autre part par la maison d'Orange, qui aspire, à travers le jeune et ambitieux Guillaume III, à diriger de manière exclusive la politique militaire et étrangère des Provinces-Unies. Proche du grand pensionnaire de Witt, sorte de coordinateur général de la politique des sept provinces et partisan d'une politique libérale et tolérante, Spinoza entend lui apporter un soutien intellectuel à travers une réflexion approfondie sur le meilleur État possible, dont l'objectif avoué est de prouver de manière rationnelle que c'est celui qui respecte entièrement la liberté de penser des individus. Face à l'intrusion permanente du religieux dans le politique, il lui fallait commencer par essayer de démontrer, à partir de l'Écriture elle-même, que la théologie et la philosophie sont deux domaines distincts, qui n'entrent pas en conflit puisqu'elles suivent deux logiques différentes, et que la religion ne doit s'opposer en rien à la liberté de philosopher. Ce faisant, il en a profité pour mettre au point une méthode interprétative de la Bible, fondée sur la raison critique, dont l'utilité dépasse largement le cadre du rapport entre théologie et philosophie, ou entre religion et politique. Recentrant son propos sur le politique, il s'agit de démontrer que la meilleure organisation publique est celle qui laisse à chacun la liberté de croire, de penser et de s'exprimer. Sa démonstration constitue une lumineuse explication philosophique de l'organisation politique, qui serait, de nos jours encore, utile à tout citoyen qui en a oublié les fondements. En voici les grandes lignes[1].

Il importe avant tout de distinguer l'état de nature de l'état de société de l'être humain. Par

---

1. Je compléterai ici l'analyse du *Traité théologico-politique* par celles proposées dans certains passages de l'*Éthique* (notamment IV, 33) et du *Traité politique,* qu'il composa ultérieurement et qui restera inachevé.

le droit souverain de sa nature, chaque individu fait ce qui lui semble être bon pour lui. Vivant selon la loi naturelle, qui vise l'augmentation de sa puissance et la poursuite de ses désirs, il agit d'abord en fonction de son intérêt propre et ne se soucie pas du bien d'autrui. À l'état de nature, il n'y a ni bien ni mal, ni juste ni injuste, les hommes cherchant uniquement à conserver ce qu'ils aiment et à détruire ce qu'ils haïssent. Si les hommes vivaient sous l'emprise de la meilleure partie d'eux-mêmes, la raison, ils ne causeraient jamais de tort à autrui. Mais comme ils vivent davantage sous l'emprise de leurs passions (les émotions, l'envie, la jalousie, le besoin de dominer, etc.), les êtres humains s'entre-déchirent. Ils perçoivent donc la nécessité de s'entendre, non seulement pour éviter de se nuire mutuellement, mais aussi pour s'entraider dans un monde où rôdent toutes sortes de dangers. La recherche de la sécurité et de la meilleure existence possible conduit les hommes à décider de vivre en société et d'édicter des règles de vie, sans lesquelles, compte tenu de leurs passions, aucune vie commune ne serait pérenne.

Ce passage de l'état de nature à l'état de société implique que les individus transfèrent leur propre pouvoir à la puissance collective à laquelle ils s'agrègent. Ainsi, « le droit, dont chaque individu jouissait naturellement sur tout ce qui l'entoure, est devenu collectif. Il n'a plus été déterminé par la force et par la convoitise de chacun, mais par la puissance et la volonté conjuguée de tous[1] ». Par ce « pacte » social, les hommes se vouent mutuellement assistance et décident de ne pas faire à autrui ce qu'ils ne souhaitent pas qu'on leur fasse. Ils renoncent volontairement, ou par crainte de la punition, à leur droit de nature, afin de vivre en sécurité en suivant des règles collectives. Cette transmission de la puissance et de la souveraineté individuelle à la puissance et à la souveraineté collective constitue donc le fondement de tout pacte social.

Dans son *Traité politique*, avant d'envisager les différents régimes politiques possibles, Spinoza récapitule l'essentiel de ce qui deviendra, à quelques nuances près, les grandes instances du politique moderne : « L'instauration d'un régime politique quelconque caractérise : l'état de société. Le corps entier de l'État s'appelle : la nation, et les affaires générales relevant de la personne qui exerce l'autorité politique : la communauté publique. Et tant que les hommes bénéficient, au sein de la nation, de tous les avantages assurés par le droit positif, nous leur appliquons le nom de citoyens, et tant qu'ils sont obligés d'obéir aux institutions ou lois nationales, celui de sujets. Enfin, l'état de société revêt trois formes :

1. *Traité théologico-politique*, *op. cit.*, chapitre XVI, p. 827.

à savoir démocratique, aristocratique et monarchique[1]. »

Tandis que l'histoire humaine a privilégié les régimes monarchiques et que la plupart des philosophes qui l'ont précédé, à la suite de Platon, voyaient dans diverses formes d'aristocratie le régime politique le plus souhaitable, Spinoza affirme que la démocratie constitue le meilleur régime possible. Car si tout régime politique vise à la sécurité des individus qui le composent et à la paix, seule la démocratie répond aussi à deux aspirations fondamentales des individus : l'égalité et la liberté. « Si je l'ai préféré aux autres régimes, c'est qu'il semble le plus naturel et le plus susceptible de respecter la liberté naturelle des individus. Dans la démocratie en effet, nul individu humain ne transfère son droit naturel à un autre individu (au profit duquel, dès lors, il accepterait de ne plus être consulté). Il le transfère à la totalité de la société dont il fait partie ; les individus demeurent ainsi tous égaux, comme jadis dans l'état de nature. » Et puisqu'on ne peut réprimer indéfiniment les aspirations des individus à l'égalité et à la liberté, contrairement aux apparences, le régime le plus fort et le plus durable n'est pas la monarchie, mais la démocratie.

Précisons bien que l'argumentation de Spinoza en faveur de l'égalité et de la liberté politique

---

1. *Traité politique*, III, 1, in *Œuvres*, *op. cit.*, p. 934.

n'est nullement fondée, à ce stade, sur une vision morale. Ce n'est pas parce que c'est « bien » ou « juste » qu'il défend le régime le plus libéral et égalitaire. Elle est purement d'ordre pragmatique : c'est ce qui marchera le mieux, compte tenu de la nature humaine. Or il est indispensable pour qu'un régime dure qu'il ne s'appuie pas uniquement sur la crainte : « L'obéissance extérieure n'en suppose pas moins une activité spirituelle interne. De sorte que l'individu le plus étroitement soumis au pouvoir d'un autre est celui qui se résout à exécuter les ordres de cet autre de l'élan le plus sincère ; l'Autorité politique la plus puissante est celle qui règne même sur les cœurs de ses sujets[1]. »

La démocratie n'est donc pas nécessairement le régime le plus vertueux d'un point de vue moral, mais c'est le plus efficace, le plus à même d'assurer la cohésion des citoyens. Il est donc le plus vertueux d'un point de vue politique, car il répond le mieux à la finalité profonde du politique : assurer de manière pérenne la sécurité et la paix entre les hommes. Spinoza affirme d'ailleurs clairement qu'il y a des choses immorales, comme certains divertissements, l'ivrognerie, la débauche, etc., qu'il vaut mieux tolérer qu'interdire, car le bien commun s'en trouverait menacé : « Vouloir régir la vie humaine tout entière par

---

1. *Traité théologico-politique*, *op. cit.*, chapitre XVII, p. 844.

des lois, c'est exaspérer les défauts plutôt que les corriger ! Ce qu'on ne peut interdire, il faut nécessairement le permettre, malgré le dommage qui en résulte souvent[1]. »

Cela est encore plus vrai de la liberté de croyance, de pensée et de parole, qui constitue un besoin humain fondamental. L'interdire ne peut que mener à la révolte, et cela d'autant plus que les idées ou les paroles exprimées sont vraies. Il est donc de l'intérêt de l'État de ne pas les réprimer : « Tout homme jouit d'une pleine indépendance en matière de pensée et de croyance ; jamais, fût-ce de bon gré, il ne saurait aliéner ce droit individuel... » Par suite, ce serait s'exposer à un désastre certain que de vouloir obliger les membres d'une collectivité publique – dont les opinions sont diverses, voire opposées – à conformer toutes leurs paroles aux décrets de l'Autorité souveraine. Il est donc nécessaire que l'État, loin de l'interdire, garantisse aux citoyens la liberté de croire et de penser. Quant à la liberté d'expression, Spinoza appelle à certaines limites : « Il n'en serait pas moins pernicieux de la leur accorder en toute circonstance[2]. » Elle ne doit pas nuire à la paix sociale. Ainsi, s'il est légitime que chacun puisse exprimer publiquement ses opinions, il faudra faire « appel aux ressources

---

1. *Ibid.*, chapitre XX, p. 902.
2. *Ibid.*, p. 898.

du raisonnement » et en évitant toute forme
« de ruse, de colère, de haine[1] » qui nuirait à la
concorde des citoyens.

Spinoza revient aussi sur la question de la
religion. Il insiste sur la nécessaire séparation
des pouvoirs politique et religieux : « Il est très
fâcheux, tant pour la religion que pour la communauté politique, d'accorder aux institutions
religieuses un droit exécutif ou gouvernemental
quelconque[2]. » Écartant toute idée de théocratie,
il va même jusqu'à affirmer que « Dieu n'exerce
de règne particulier sur les hommes que par l'intermédiaire des Autorités politiques[3] ». Phrase
surprenante si l'on oublie qu'il assimile le gouvernement divin aux décrets de la nature et que
les autorités politiques ne sont pour lui que les
expressions naturelles de l'organisation sociale.
Les religions doivent être tolérées, mais aussi sou-
mises à la puissance publique : « Les pratiques ferventes et religieuses devront se mettre en accord
avec l'intérêt public[4] », autrement dit, si certaines
de leurs expressions sont susceptibles de nuire
au bien commun, il faudra les interdire. « Bref,
conclut-il, que nous nous placions du point de

---

1. *Ibid.*, p. 900.
2. *Ibid.*, chapitre XVIII, p. 877.
3. *Ibid.*, chapitre XIX, p. 886.
4. *Ibid.*, p. 888.

vue de la vérité ou de la sécurité de l'État, voire des conditions les plus favorables à la pratique d'un culte fervent, nous sommes contraints de conclure que le droit divin ou droit dont est régi le domaine sacré dépend, sans réserve, du vouloir de la souveraine Puissance [...]. Car c'est le vouloir du détenteur de l'autorité politique qui détermine l'accord de toute ferveur religieuse sincère avec l'intérêt public[1]. »

Pacte social, démocratie, laïcité, égalité de tous les citoyens devant la loi, liberté de croyance et d'expression : Spinoza est le père de notre modernité politique. Un siècle avant Voltaire et Kant, et même quelques décennies avant Locke, qui publie sa remarquable *Lettre sur la tolérance* en 1689, il est le premier théoricien de la séparation des pouvoirs politique et religieux et le premier penseur moderne de nos démocraties libérales. Mais là où il me semble encore plus moderne que nous, c'est qu'il a parfaitement perçu, alors qu'elles n'existaient pas encore, les limites de nos démocraties : le manque de rationalité des individus, qui, étant encore esclaves de leurs passions, suivront la loi plus par peur de la punition que par adhésion profonde. Or, si « l'obéissance extérieure » est plus forte que « l'activité spirituelle interne », pour reprendre

---

1. *Ibid.*, p. 893.

ses propres expressions, nos démocraties risquent de s'affaiblir. C'est pourquoi il rappelle l'importance cruciale de l'éducation des citoyens. Cette éducation ne doit pas se limiter à l'acquisition de connaissances générales, mais aussi enseigner le vivre-ensemble, la citoyenneté, la connaissance de soi et le développement de la raison. À la suite de Montaigne, qui prônait une éducation visant à faire des têtes « bien faites », plutôt que des têtes « bien pleines », Spinoza sait que plus les individus seront capables d'acquérir un jugement sûr qui les aidera à discerner ce qui est véritablement bon pour eux (qu'il appelle « l'utile propre »), plus ils seront utiles aux autres en étant des citoyens responsables. Toute la pensée de Spinoza repose en effet sur cette idée qu'un individu s'accordera d'autant mieux aux autres qu'il est bien accordé avec lui-même. Autrement dit, nos démocraties seront d'autant plus solides, vigoureuses et ferventes que les individus qui les composent seront capables de dominer leurs passions tristes – la peur, la colère, le ressentiment l'envie, etc. – et qu'ils mèneront leur existence selon la raison. Même s'il ne le dit pas explicitement, on comprend aussi que des citoyens, davantage mus par leurs émotions que par leur raison, pourront élire des dictateurs ou des démagogues. Hitler n'a-t-il pas été élu le plus démocratiquement du monde, à cause du ressentiment du peuple allemand après l'humiliation du traité de Versailles ? Donald Trump n'est-il pas entré à la Maison-Blanche en raison de la colère et de la peur d'une majorité d'Américains ?

Spinoza avait compris, trois siècles avant Gandhi, que la véritable révolution est intérieure et que c'est en se transformant soi-même qu'on changera le monde. C'est la raison pour laquelle il a écrit pendant quinze ans l'*Éthique*, son grand œuvre, un livre de connaissance des lois du monde et de l'homme, mais aussi un guide de transformation de soi, afin de nous conduire vers la sagesse et le bonheur ultime.

II

Le maître de sagesse

1

L'Éthique, *un guide vers la joie parfaite*

> « *Tout ce qui est précieux est aussi difficile que rare.* »

L e philosophe Gilles Deleuze a fort bien mis en lumière les trois personnages qui parcourent toute l'œuvre de Spinoza : l'esclave, le tyran et le prêtre. Le premier est l'homme soumis à ses passions tristes, le deuxième est celui qui a besoin d'elles pour asseoir son pouvoir, le troisième s'attriste sur la condition humaine[1]. Les trois partagent un ressentiment contre la vie et ils constituent une sorte de « trinité moraliste », que dénoncera Nietzsche. Après avoir démasqué le tyran et le prêtre dans son *Traité théologico-politique*, il reste à Spinoza à démasquer l'esclave,

---

1. Gilles Deleuze, *Spinoza, philosophie pratique*, Éditions de Minuit, 1981.

l'homme qui se croit libre, alors qu'il est en réalité soumis au pouvoir de son imagination, de ses désirs, de ses pulsions, de ses émotions. Tout le parcours de l'*Éthique* est donc un chemin de la servitude vers la liberté, de la tristesse vers la joie.

Baruch a commencé à écrire ce texte vers 1660-1661, alors qu'il venait de s'installer à Rijnsburg. Il l'appelait *Ma philosophie*. Menée en parallèle à l'écriture de trois autres ouvrages plus ponctuels – le *Court traité*, les *Principes de la philosophie de Descartes* et le *Traité de la réforme de l'entendement* –, la composition de son chef-d'œuvre est à nouveau ralentie – mais certainement jamais interrompue – lorsqu'il s'attelle à la rédaction du *Traité théologico-politique* de 1665 à 1670. Il se consacre ensuite à plein temps à l'*Éthique,* qu'il achève en 1675, tout juste deux ans avant de mourir. Le contexte dans lequel il termine son ouvrage majeur est particulièrement éprouvant pour lui. En 1669, juste avant la publication de son *Traité*, il est fortement meurtri par la mort de son ami et disciple Adriaan Koebargh, jugé pour avoir publié un violent réquisitoire contre la religion chrétienne. Dénoncé par son éditeur, il est condamné à dix ans d'emprisonnement et meurt peu après dans les cachots d'Amsterdam. C'est certainement une des raisons qui incitent Spinoza et son éditeur à publier le *Traité théologico-politique* sans nom d'auteur, sous une fausse édition allemande, et à refuser qu'il soit traduit du latin au néerlandais. L'ouvrage est bientôt interdit par les autorités publiques et religieuses (catholiques, juives et calvinistes), tant ses thèses sont révolutionnaires. Néanmoins, avec le soutien tacite du grand pensionnaire, le livre se vend sous le manteau, et bientôt toute l'Europe savante le commente. Ce succès n'est que très relatif pour Spinoza, qui espérait convaincre les théologiens. Comme on pouvait s'y attendre, c'est exactement l'inverse qui advient : le livre est violemment attaqué par les chrétiens, aussi bien catholiques que protestants. Son biographe Colerus, lui-même horrifié par les thèses spinozistes, se fait l'écho de nombreux écrits virulents, dont celui d'un célèbre théologien de l'époque, qui résume bien l'impression qu'a dû produire l'ouvrage sur l'esprit de nombreux chrétiens : « Le diable a séduit un grand nombre d'hommes, qui semblent tous être à ses gages, et s'attachent uniquement à renverser ce qu'il y a de plus sacré au monde. Cependant, il y a lieu de douter si, parmi eux, aucun a travaillé à ruiner tout droit humain et divin avec plus d'efficacité que cet imposteur, qui n'a eu autre chose en vue que la perte de l'État et de la religion[1]. » Spinoza ne s'attendait probablement pas à un rejet si violent, d'autant que d'anciens amis ou disciples

---

1. Colerus, *op. cit.*, p. 1333.

condamnent également ses thèses, tel Guillaume Van Blyenbergh, avec lequel il avait entretenu par le passé une importante correspondance et qui écrit à propos du *Traité* : « C'est un livre rempli de découvertes curieuses, mais abominables, dont la science et les recherches ne peuvent avoir été puisées qu'en enfer[1]. » Même si le livre est anonyme, personne n'est dupe de l'identité de son signataire. Aussi, les pasteurs de sa petite ville de Voorburg vont-ils mener une campagne contre lui, accusant son logeur d'héberger un hérétique. Si son amitié avec le grand pensionnaire le protège encore, Spinoza doit se résoudre à déménager et décide d'aller vivre à La Haye. Il s'installe d'abord chez une veuve, puis, trouvant le loyer trop élevé, il déniche une petite chambre, qu'il loue à un peintre luthérien et à sa femme, les Van der Spyck, parents de sept enfants. C'est auprès d'eux qu'il va passer les sept dernières années de sa vie.

Le contexte politique est houleux : en 1672, Louis XIV envahit les Pays-Bas. Johan de Witt est accusé d'avoir mené une politique étrangère hasardeuse qui a livré la république à la France. Le grand pensionnaire manque de se faire assassiner en juin, puis, la nuit du 20 août, alors qu'il va chercher dans sa geôle son frère Cornelis, injustement emprisonné, une foule déchaînée force

---

1. *Ibid.*, p. 1327.

les portes de la prison, dresse un gibet afin de pendre les deux frères. Ils sont lynchés et frappés avec tant de violence qu'ils meurent avant d'être pendus ; accrochés par les pieds, leurs cadavres seront déchiquetés. Le célèbre philosophe Leibniz, rendant visite à Spinoza quelques années plus tard, livre ce témoignage : « Il me dit qu'il avait été porté, le jour des massacres de MM. De Witt, de sortir la nuit et d'afficher quelque part, proche du lieu, un papier où il y aurait écrit : *"Ultimi barbarorum"* [« Les ultimes barbares »]. Mais son hôte lui aurait fermé la maison pour l'empêcher de sortir, car il se serait exposé à être mis en pièces[1]. » Deux ans plus tard, Baruch apprend également la mort de son ancien maître, Franciscus Van den Enden, pendu à la Bastille pour avoir participé à un complot contre le roi de France.

Malgré les critiques et sa situation devenue très précaire aux Provinces-Unies après la prise de pouvoir de Guillaume d'Orange, qui installe une monarchie qui n'en a pas le nom, ses idées se répandent en Europe et fascinent autant qu'elles révulsent. Ainsi lui propose-t-on, en 1673, une chaire de philosophie à la prestigieuse université de Heidelberg, en Allemagne, une demande

---

1. Cité par François Gauvin dans l'excellent numéro hors-série que *Le Point* a consacré au philosophe (octobre-novembre 2015, p. 27).

assortie toutefois d'une clause particulière :
« Vous aurez la plus grande latitude de philosopher, liberté dont le prince croit que vous n'abu-
serez pas pour troubler la religion officiellement
établie. » Spinoza refuse l'offre. Comme le souligne Deleuze, « Spinoza fait partie de ces "penseurs privés", qui renversent les valeurs et font de
la philosophie à coups de marteau, et non pas des
"professeurs publics", ceux qui, suivant l'éloge
de Leibniz, ne touchent pas aux sentiments éta-
blis, à l'ordre de la Morale et de la Police[1] ».

La même année, Spinoza est invité à rencontrer
le prince de Condé, libertin, lettré, soutien des
artistes et des libres penseurs, mais aussi général
des armées d'occupation de Louis XIV. Le philosophe accepte et quitte La Haye pour traverser le
pays jusqu'aux quartiers généraux français basés
à Utrecht. Manifestement, le prince voulait proposer à Baruch de venir s'établir en France sous
sa protection financière et politique ; le philosophe aurait probablement refusé, sachant perti-
nemment qu'aucun mécène, ni aucune tutelle, ne
pourrait faire que son œuvre soit tolérée dans un
pays aussi catholique que la France du Roi-Soleil.
Selon la plupart des témoins et selon les dires
mêmes de Spinoza, la rencontre n'aurait d'ailleurs
pas eu lieu, le prince ayant dû s'absenter...
Quelques années après la publication du *Traité*,

---

1. Gilles Deleuze, *op. cit.*, p. 19.

L'Éthique, *un guide vers la joie parfaite*

Bossuet, le célèbre confesseur de Louis XIV, s'en inspire pour évoquer, dans un sermon, les contradictions présentes dans l'Écriture. Certes, il le fait dans l'intention de les minimiser, mais le ver de la critique historique des Écritures est dans le fruit. Les idées vraies finissent toujours par s'imposer.

C'est dans ce contexte politique et polémique très tourmenté que Baruch reprend et achève la rédaction de l'*Éthique* – je consacrerai les chapitres suivants à l'exposé de ses grands thèmes. Dès le départ, il a opté pour une rédaction particulière, selon un mode géométrique (avec définitions des axiomes, des propositions, des démonstrations, etc.) qui en rend la lecture particulièrement aride. Leo Strauss a avancé l'hypothèse que le philosophe a choisi un tel mode d'exposition de sa pensée afin de la rendre plus obscure et d'échapper à la persécution. C'est peu probable : Spinoza explique lui-même les raisons de ce choix dans une lettre à Henry Oldenburg datée de 1661 : « Pour rendre mes démonstrations claires et brèves, je n'ai pu trouver rien de mieux que de les soumettre à votre examen sous la forme employée par les géomètres[1]. » À la suite de Descartes, Spinoza est convaincu que la structure du monde est mathématique et que l'exposition d'un problème et de sa solution sera d'autant plus parfaite qu'elle

---

1. Cité par François Gauvin, in *Le Point, op. cit.*, p. 18.

épousera la forme d'un raisonnement exposé de manière géométrique. C'est ainsi que l'ouvrage s'intitule précisément : *L'Éthique démontrée selon la méthode géométrique.* Spinoza commence ainsi toute grande section par une ou plusieurs définitions, éventuellement suivie d'explications et d'axiomes ; puis il poursuit par une série de propositions, et à chaque proposition succède toujours une démonstration, éventuellement complétée par un corollaire ou une scolie, c'est-à-dire un commentaire rédigé de manière plus classique. Cette méthode, assez fastidieuse pour le lecteur, a l'avantage pour Spinoza de distinguer divers niveaux de lecture. Une définition explique les mots choisis et en donne le sens. Un axiome exprime une notion commune à la raison, c'est-à-dire une vérité première, indémontrable (« nous sommes tous d'accord pour dire que... »). Une proposition affirme une thèse. Une démonstration la démontre par le raisonnement, en s'appuyant éventuellement sur les définitions et les axiomes. Une scolie la commente de manière plus libre.

À travers cette cathédrale de mots, l'ambition de Spinoza est de proposer une éthique, c'est-à-dire un chemin conduisant à une vie bonne et heureuse, laquelle sera fondée sur une métaphysique, c'est-à-dire une conception de Dieu et du monde. C'est la raison pour laquelle son ouvrage s'ouvre par une première partie entièrement consacrée à Dieu, qu'il définit comme la Substance unique de tout ce qui existe, et s'achève par une partie consacrée à la Béatitude, le bonheur ultime. Entre les deux, Spinoza tente de redéfinir le corps et l'esprit, en montrant qu'ils ne sont pas deux réalités séparées (deuxième partie) ; puis il propose une analyse minutieuse de nos émotions et de nos sentiments – qu'il s'agit non pas de combattre à la manière des moralistes, mais de réorienter avec l'aide du désir et de la raison (troisième partie) ; enfin, il se livre à une explication de la servitude de l'homme, soumis à ses affects et non à la raison (quatrième partie). Le fil conducteur de ce chemin est la joie, nous verrons bientôt pourquoi.

Dans son dictionnaire historique et critique, Pierre Bayle affirme que l'exposé de ce livre est tellement difficile, que même ses rares disciples ont été rebutés par « des abstractions impénétrables qui s'y rencontrent ». Spinoza en est conscient, et il est tout aussi conscient que le chemin qu'il propose est exigeant, puisqu'il conclut l'*Éthique* par ces mots : « Tout ce qui est précieux est aussi difficile que rare. » Mon ambition n'est donc pas de commenter l'*Éthique* ligne à ligne et d'en expliciter toutes les notions[1]. Elle consiste plutôt, suivant le plan en cinq grandes parties de l'ouvrage, à en expliciter les notions-clés et à montrer, en

---

1. D'autres auteurs, plus compétents que moi, l'ont très bien fait, à commencer par Robert Misrahi, Gilles Deleuze ou Ariel Suhamy, dont les ouvrages sont mentionnés dans la bibliographie.

prenant des propositions qui me semblent particulièrement lumineuses, quelles leçons de vie on
peut en tirer. Cet ouvrage complexe et foisonnant
est en effet rempli de fulgurances, de perles précieuses de la pensée, qui peuvent avoir un impact
décisif sur notre existence.

2

Le Dieu de Spinoza

« Tout ce qui est, est en Dieu. »

L e mot « Dieu » traverse toute l'œuvre de
Spinoza. Mais qu'entend-il par « Dieu » ? La
lecture du *Traité théologico-politique* nous a montré que sa conception de Dieu était fort éloignée
de celle des religions monothéistes, qui considèrent
Dieu comme un être suprême, préexistant au
monde qu'il a créé par sa volonté. Ce Dieu créateur, pourvu de volonté, d'intelligence et de désirs,
aurait ensuite choisi un peuple, le peuple hébreu,
pour se révéler à lui, puis, selon les chrétiens, se
serait incarné en la personne de Jésus-Christ pour
sauver les hommes. Les musulmans pensent quant
à eux que ce même Dieu créateur a choisi le prophète Muhammad pour clore la prophétie. La Bible
et le Coran attribuent à Dieu des qualités – il est
omniscient, tout-puissant, miséricordieux, etc. – et

lui donnent des visages semblables aux figures humaines : il est Seigneur, Père, Juge, etc. Il a établi le Bien et le Mal, il peut exaucer les prières des hommes, les punit ou les récompense et on se doit de lui rendre un culte. Selon cette vision, Dieu est à la fois extérieur et intérieur au monde, à la fois transcendant et immanent. Comme nous allons le voir, le Dieu de Spinoza est fort différent : il n'a pas créé le monde (le « Cosmos » ou la « Nature », qui existent de toute éternité) ; il ne lui est pas extérieur, et il est donc totalement immanent ; il n'a pas des qualités ou des fonctions qui ressemblent à celles des humains et n'intervient pas dans leurs affaires. Ce Dieu « cosmique » est défini par Spinoza, au début de l'*Éthique*, comme la « Substance » de tout ce qui est.

Pourquoi les humains se sont-ils forgé un Dieu à leur image ? Dans un long appendice situé à la fin du premier livre de l'*Éthique* et consacré à Dieu, Spinoza livre une explication qui me semble fort pertinente sur ce qu'on pourrait appeler la « naissance des dieux ». Selon lui, « les hommes agissent toujours en vue d'une fin, c'est-à-dire en vue de l'utile qu'ils désirent ; d'où il résulte qu'ils ne cherchent jamais que les causes finales des choses une fois achevées, et que, dès qu'ils en ont connaissance, ils trouvent le repos, car alors ils n'ont plus aucune raison de douter[1] ». Autrement

---

1. Spinoza, *Éthique*, livre I, appendice, in *Œuvres, op. cit.*, p. 347.

dit, les humains sont toujours à la recherche du « pourquoi » des choses, ils cherchent constamment à donner un sens au monde, aux phénomènes naturels et à leur existence. L'explication par la cause finale les apaise : les choses existent d'une certaine manière afin d'aboutir à tel but. Ainsi, ils ont imaginé que les choses qui leur sont utiles pour vivre (la nourriture, l'eau, la pluie pour les moissons, etc.) ont été disposées par un être supérieur en vue de leur préservation. « Ils ont ainsi admis, poursuit le philosophe, que les dieux disposent tout à l'usage des hommes pour se les attacher et être grandement honorés par eux. D'où il résulta que chacun d'eux, suivant son naturel propre, inventa des moyens divers de rendre un culte à Dieu, afin que Dieu l'aimât plus que tous les autres et mît la nature entière au service de son désir aveugle et de son insatiable avidité. Ainsi, ce préjugé est devenu superstition et a plongé de profondes racines dans les esprits ; ce qui fut une raison pour chacun de chercher de toutes ses forces à comprendre les causes finales de toutes choses et à les expliquer[1]. »

J'ai traité, à travers trois ouvrages d'histoire comparée des religions[2], cette question de la

---

1. *Ibid.*, p. 348.
2. *Les Métamorphoses de Dieu*, Plon, 2003 ; *Petit traité d'histoire des religions*, Plon, 2008 ; et *Dieu*, entretiens avec Marie Drucker, Robert Laffont, 2011, Pocket, 2013.

naissance du sentiment religieux, et l'analyse de Spinoza me semble très juste. En quelques mots, ce que nous apprennent les connaissances historiques et archéologiques actuelles, c'est que la religion première et universelle de l'humanité est une sorte d'animisme : *Homo sapiens* considérait que la nature entière était habitée par des forces et des esprits. Un personnage, que l'on appelle de nos jours un « chamane », était chargé par la tribu d'entrer, à travers un état modifié de conscience, en relation avec ces forces et ces esprits, afin de se les concilier et de dialoguer avec eux, notamment avant la chasse ou pour demander la guérison d'un individu. Au néolithique, il y a environ douze mille ans, l'être humain a commencé à se sédentariser. La chasse et la cueillette ont progressivement été remplacées par l'agriculture et l'élevage. L'homme a cessé de considérer que la nature était enchantée et peuplée d'esprits, et il a remplacé ces esprits par les dieux de la cité, auxquels il rendait un culte, afin d'obtenir leur protection contre ses ennemis et l'aide dont il avait besoin pour vivre (la pluie pour les moissons, la fécondité du bétail, etc.). C'est ainsi que s'est répandu dans toute l'humanité le rituel religieux par excellence : le sacrifice. Suivant la logique universelle très bien mise en lumière par Marcel Mauss, du don et du contredon, les humains échangeaient des biens avec les dieux : ils offraient ce qui leur était précieux (des semences, des animaux, voire des humains) en échange de l'aide et de la protection divines. Avec la formation des grands empires et le développement du processus de rationalisation, on est progressivement passé de croyances polythéistes (il y a de nombreux dieux qui se valent, avec des fonctions diverses) à des croyances hénothéistes (un dieu est supérieur aux autres, comme Amon en Égypte ou Zeus en Grèce), puis à des croyances monothéistes (Aton en Égypte, Yahvé chez les Hébreux, Ahura Mazda en Perse) : il n'y a finalement qu'un seul et unique Dieu, « qui a fait l'homme à son image et à sa ressemblance » (Genèse), qui veille sur lui et répond à ses besoins pour peu qu'on lui rende un culte et qu'on observe ses commandements.

Sans pouvoir en apporter une démonstration historique et anthropologique, Spinoza a parfaitement saisi, d'un point de vue philosophique, ce qui est à l'origine des grandes religions historiques : le principe finaliste (tout est fait dans la nature pour le bien de l'homme) et utilitariste (je donne quelque chose à Dieu pour qu'il m'apporte sa protection). Il s'agit pour lui d'une superstition qui vise à rassurer l'être humain, fondamentalement mû par les affects de crainte et d'espoir. C'est ainsi que les hommes ont aussi créé les concepts de Bien (tout ce qui contribue à la santé et au culte de Dieu) et de Mal (ce qui leur est contraire). Dans l'*Éthique*, Spinoza complète et approfondit donc ce qu'il avait déjà évoqué dans le *Traité théologico-politique* : l'explication par la cause finale permet de trouver un sens à tout, jusqu'à la dernière cause indémontrable, « la volonté de Dieu, cet asile de l'ignorance[1] ».

Si Spinoza récuse cette représentation d'un Dieu anthropomorphique qui crée le monde à partir de rien, pour le seul bien du chef-d'œuvre de sa création : l'être humain, quelle est son idée de Dieu ? Il en donne une brève définition au tout début du livre I de l'*Éthique* : « Par Dieu, j'entends un être absolument infini, c'est-à-dire une substance consistant en une infinité d'attributs, dont chacun exprime une essence éternelle et infinie. » Il résume sa conception plus complète à la fin du livre I : « Par ce qui précède, j'ai expliqué la nature de Dieu et ses propriétés, à savoir : qu'il existe nécessairement, qu'il est unique, qu'il est agi par la seule nécessité de sa nature, qu'il est la cause libre de toutes choses et de quelle façon il l'est, que toutes choses sont en Dieu et dépendent de lui, de telle sorte que, sans lui, elles ne peuvent ni être, ni être conçues, et, enfin, que toutes choses ont été prédéterminées par Dieu, non certes par la liberté de la volonté, autrement dit par son bon plaisir absolu, mais par la nature absolue de

---

1. *Éthique*, livre I, appendice, in *Œuvres, op. cit.*, p. 350.

Dieu, autrement dit par sa puissance infinie[1]. »
Essayons de comprendre cette définition avec
des mots plus modernes que ceux de la métaphysique du XVIIᵉ siècle.

En définissant Dieu comme une Substance,
Spinoza entend un être qui se suffit à lui-même,
tant pour sa définition que pour son existence.
Cet être parfaitement autonome, donc unique, est
aussi infini : il englobe la totalité du réel. Rien
n'existe en dehors de lui. C'est pourquoi Spinoza
identifie plus loin Dieu à la Nature : « *Deus sive
Natura* », Dieu, c'est-à-dire la Nature[2]. Mais prenons garde à ne pas mal interpréter cette parole. Une lecture (très courante) matérialiste de
Spinoza en a trop vite conclu qu'il réduisait Dieu
à la matière. Lui-même s'en défend dans une
lettre à Henry Oldenburg : « Cependant, quand
on suppose que le *Traité théologico-politique*
s'appuie sur l'unité et l'identité de Dieu avec la
Nature (par quoi l'on entend une certaine masse
ou matière corporelle), on se trompe sur toute la
ligne[3]. » Ce que Spinoza entend par Nature (écrit
avec une majuscule), ce ne sont pas les fleurs,
les plantes et les oiseaux, c'est le cosmos entier
dans toutes ses dimensions, visibles et invisibles,
matérielles et spirituelles.

---

1. *Ibid.*, p. 346.
2. *Éthique*, IV, 4, démonstration.
3. Lettre 73, in *Œuvres, op. cit.*, p. 1282.

Reprenant une distinction de la scolastique médiévale, il distingue également la « Nature naturante », c'est-à-dire l'essence divine éternelle et infinie, activité autonome et productrice, de la « Nature naturée », soit tout le réel déterminé par cette activité. Cette Substance infinie a une infinité « d'attributs », nous dit Spinoza, c'est-à-dire des qualités divines, absolument simples, qui constituent l'essence de la Substance et nous permettent de la connaître. Les deux seules que nous pouvons appréhender sont la Pensée (ou esprit) et l'Étendue (ou matière). L'esprit et la matière, comme attributs de Dieu, sont aussi infinis. Il n'en demeure pas moins que la matière et l'esprit infinis se présentent à nous sous la forme de corps ou d'idées limités et finis, que Spinoza appelle des « modes ». Chaque pensée ou idée est donc un mode singulier et concret de l'esprit infini, comme chaque corps ou chaque chose est un mode singulier de la matière infinie. On peut ainsi comprendre ce que veut dire Spinoza quand il affirme que « les choses particulières ne sont que des affections des attributs de Dieu, autrement dit des modes par lesquels les attributs de Dieu sont exprimés d'une façon définie et déterminée[1] ».

Autre affirmation forte de Spinoza, il existe un déterminisme cosmique : « Dans la nature, il

---

1. *Éthique*, I, 25, corollaire, in *Œuvres, op. cit.*, p. 335.

n'y a donc rien de contingent, mais toutes choses sont déterminées par la nécessité de la nature divine à exister et à produire un effet d'une certaine façon[1]. » La Nature est donc entièrement réglée par des lois immuables (ce que Spinoza appelaient les « décrets de Dieu » dans le *Traité théologico-politique*). Ce déterminisme rend tout aussi absurde, les notions de péché (désobéissance à Dieu) que de miracle (intervention surnaturelle de Dieu), et il n'est pas sans poser des questions essentielles quant à la liberté humaine – nous y reviendrons dans un prochain chapitre.

La conception spinoziste de Dieu est donc totalement immanente : il n'y a pas un Dieu antérieur et extérieur au monde, qui crée le monde (vision transcendante du divin), mais, de toute éternité, tout est en Dieu et Dieu est en tout à travers ses attributs, qui, eux-mêmes, génèrent une infinité de modes singuliers, c'est-à-dire d'êtres, de choses et d'idées singulières. C'est ce qu'on appelle une vision « moniste » du monde, qui s'oppose à la vision dualiste traditionnelle d'un Dieu distinct du monde. Pour Spinoza, Dieu et le monde (la Nature, le Cosmos) ne font qu'un. Ce qui n'empêche pas d'apporter, comme nous l'avons vu, de nécessaires distinctions entre Dieu comme cause libre et productrice (Nature naturante) et Dieu comme contenant de tout le

---

1. *Ibid.*, I, 29, proposition, p. 338.

réel (Nature naturée), ou bien comme la matière (attribut de l'Étendue) et l'esprit (attribut de la Pensée), ou encore entre les attributs infinis de Dieu et ses modes finis : l'ensemble des êtres, des idées et des choses singulières.

Spinoza est-il athée, comme on l'affirme communément ? Tout dépend en fait de la définition qu'on donne à ce mot. Au XVIIe siècle, on qualifiait ainsi toute personne immorale, vivant sans principes et ne rendant aucun culte à Dieu. C'est la raison pour laquelle Spinoza s'en est toujours défendu, lui qui avait tant à cœur de mener une vie sage et exemplaire à partir d'une certaine idée de Dieu. Spinoza ne croit pas en l'existence du Dieu créateur, personnel et providentiel, tel que le décrit la Bible. Les juifs, les chrétiens et les musulmans, pour qui Dieu ne peut répondre qu'à cette définition, le considèrent donc souvent comme athée. Pourtant, Spinoza propose une nouvelle définition de Dieu, qu'il considère comme la plus achevée, car la plus rationnelle. Il ne croit pas à ce qu'il envisage comme la représentation enfantine du Dieu auquel ses semblables rendent un culte, mais il pense Dieu comme un être infini, véritable principe de raison et modèle de vie bonne. En cela, il ne se considère pas du tout comme athée, entendu au sens de celui qui n'a aucune pensée de Dieu, ni principes de vie qui en découlent. Ou, pour le dire encore autrement, Spinoza ne *croit* pas au Dieu révélé de la Bible ; mais il *pense* Dieu. Cette pensée le met en joie et gouverne toute sa vie. Ce n'est donc pas par malice ou couardise qu'il utilise le mot « Dieu » dans son œuvre, afin d'échapper à la persécution, comme cela est très souvent affirmé. Ce serait, une fois encore, faire injure à son intelligence, à son souci de la vérité et de la précision des mots. Il utilise le mot « Dieu » en long, en large et en travers, parce que ce mot exprime, pour lui comme pour ses semblables, l'Absolu et le fondement de toute chose. Mais il le redéfinit en se fondant sur la raison. En cela, il préfigure le déisme du XVIIIe siècle, cette philosophie qui pense Dieu au-delà de toute croyance et de tout culte. Il rejoint aussi, par bien des points, la pensée philosophique de Dieu défendue par les stoïciens de l'Antiquité, y compris dans son déterminisme cosmique. Faire de Spinoza le premier grand penseur « athée » de l'Occident, comme on le lit un peu partout, chez qui l'idée de Dieu serait totalement absente, est un énorme contresens. La croyance au Dieu biblique lui est en effet totalement étrangère, mais pas du tout le concept même de Dieu. Au contraire, Dieu, tel qu'il le conçoit, traverse toute son œuvre et fonde sa philosophique éthique, comme nous allons le voir plus loin. Dans sa correspondance, Spinoza n'a de cesse de se défendre d'être athée et de chercher à détruire la religion. Ainsi écrit-il à Jacob Osten : « Mais, je le demande, détruit-on toute religion quand on pose que Dieu doit être reconnu comme le souverain bien, et qu'il doit, comme tel, être aimé en toute liberté d'âme ? Et qu'en cela seules consistent notre suprême félicité et notre liberté totale[1] ? »

Spinoza n'est d'ailleurs pas plus matérialiste qu'il ne serait athée. Pas plus qu'il n'est spiritualiste. Il est les deux ! Puisque les deux attributs de Dieu sont la Pensée et l'Étendue, le monde est fait d'esprit et de matière, et les deux sont inséparables. Il naturalise l'esprit autant qu'il spiritualise la matière. En fait, Spinoza est déroutant, car il échappe aux catégories simplistes, issues d'une part de notre héritage judéo-chrétien, qui enferme Dieu dans une seule définition, et d'autre part d'un conflit philosophique, vieux de plus de deux millénaires, entre les penseurs matérialistes (de Lucrèce à Marx) et les penseurs spiritualistes ou idéalistes (de Platon à Hegel). Ces deux prismes nous rendent difficilement compréhensible un penseur comme Spinoza, qui fait sauter tous les verrous et les clivages habituels de notre pensée.

Un petit détour par l'Inde nous permettra de mieux le comprendre. Sa conception de Dieu y est

---

1. Lettre 43, in *Œuvres*, *op. cit.*, p. 1218.

en effet beaucoup plus familière. J'ai déjà évoqué le fait que Spinoza s'extrait du dualisme métaphysique traditionnel de l'Occident pour établir un monisme : Dieu et le monde ne sont qu'une seule et même réalité. Or c'est le cœur même du plus grand courant philosophique de la pensée indienne : l'*Advaïta-Vedanta*, la voie de la non-dualité. Ce courant postule l'unité entre Dieu et le monde. Tout est en Dieu et Dieu est en tout.

Fondée sur certaines *Upanishads* (textes anciens qui remontent au VIIIe siècle avant notre ère), la voie de la non-dualité a été développée et systématisée par le grand philosophe Cankara au VIIIe siècle de notre ère. Cette doctrine identifie ainsi le divin impersonnel (le *brahman*) et l'âme individuelle (l'*âtman*). Le chemin de la sagesse consiste à prendre conscience que le *brahman* et l'*âtman* ne font qu'un, que chaque individu est une partie du Tout cosmique. Cankara tient d'ailleurs des propos similaires à ceux de Spinoza à l'égard des doctrines religieuses traditionnelles, dualistes, qui pullulent aussi en Inde : reposant sur la foi et sur la dévotion amoureuse envers Dieu (qui prend mille visages), elles permettent à des millions d'hindous de pratiquer la justice et l'amour, et donc de progresser spirituellement. Mais il affirme aussi que la voie non dualiste exprime plus profondément le réel, et que la réalisation de l'être, but ultime de toute vie humaine, implique la cessation de toute dualité. Parce qu'il est sorti

de la dualité, le sage est un « délivré vivant »
pour qui il n'y a plus que la « pleine félicité de la
pure conscience, qui est Une » (*saccidânanda*). La
délivrance (Spinoza dirait le « salut ») est le fruit
d'une prise de conscience à la fois intellectuelle et
intuitive, qui apporte le bonheur suprême, la joie
sans limite. Comme nous le verrons, Spinoza ne
dit pas autre chose à la fin de l'*Éthique*.

On peut se demander pourquoi Spinoza commence son *Éthique*, qui est censée être un guide
de vie vers la joie parfaite, par cette réflexion
sur Dieu ? C'est tout simplement parce qu'il est
convaincu que toute éthique doit nécessairement
reposer sur une métaphysique, sur une certaine
vision du monde et de Dieu. Nos actes et l'orientation profonde que nous donnons à notre vie
ne sont pas les mêmes selon la compréhension
que nous avons de notre lien au monde et à
l'Absolu. Ainsi, comme le souligne fort justement
Robert Misrahi, sa métaphysique nous montre
que « l'itinéraire de la sagesse ne sera donc pas
une ascension vers le ciel ou l'au-delà indicible,
mais un approfondissement de l'existence elle-
même, dans notre monde unique, la Nature[1] ».
Ajoutons aussi, puisque Spinoza nous promet un
chemin vers la béatitude, que la joie la plus pure
vient quand nous avons appris à accorder notre
nature avec la Nature, à nous mettre au diapason

---

1. Robert Misrahi, *Spinoza*, Entrelacs, 2005, p. 54.

Le Dieu de Spinoza

– grâce à la raison – de la symphonie cosmique. Cette conception a profondément touché Albert Einstein. On lui a souvent demandé s'il croyait en Dieu. Il répondait toujours la même chose : au Dieu de la Bible, non, mais au Dieu cosmique de Spinoza, oui. Ainsi, lorsque le grand rabbin de New York lui posa une nouvelle fois la question, il répondit : « Je crois au Dieu de Spinoza qui se révèle dans l'harmonie de tout ce qui existe, mais non en un Dieu qui se préoccuperait du destin et des actes des humains. »

3

Grandir en puissance,
en perfection et en joie

> « *La joie est le passage d'une*
> *moindre à une plus grande perfec-*
> *tion.* »

Après l'étude de Dieu, Spinoza passe à celle de l'homme. Avant de s'incarner dans un chemin éthique, sa métaphysique s'affine dans une anthropologie où la psychologie tient une place importante. Qu'est-ce que l'être humain ? De quoi est-il composé ? Quelles sont les possibilités et les limites de sa connaissance ? Quel est le moteur de son existence ? Quelles sont l'origine et la nature de ses sentiments ? La deuxième et la troisième partie de l'*Éthique* sont consacrées à l'étude de ces questions. J'évoquerai dans les chapitres suivants la manière dont Spinoza parle du désir, des sentiments et des émotions, car ce qu'il en dit peut nous être d'un grand secours dans la connaissance de nous-mêmes et dans la compréhension de notre fonctionnement psychologique. Mais je voudrais d'abord souligner quelques aspects fondamentaux de l'anthropologie spinoziste, particulièrement éclairants pour comprendre ensuite le processus de libération qui conduit à la joie parfaite.

Après avoir élaboré une conception moniste de Dieu, Spinoza établit, dans la foulée, une conception moniste de l'être humain, tout aussi révolutionnaire. La tradition chrétienne, dans la lignée de Platon (mais de manière moins tranchée), est en effet fondée sur un dualisme entre l'âme et le corps. D'un point de vue philosophique, Descartes reprend cette dualité et valorise l'âme au détriment du corps, puisque l'âme est d'essence divine alors que le corps est d'essence matérielle. Lorsque le corps agit sur l'âme, l'âme « pâtit », elle subit l'influence du corps, et, inversement, l'âme peut « dominer » le corps par la force de la volonté – comme un cocher (l'âme) qui dompte et guide ses chevaux (le corps).

Spinoza propose une tout autre vision des choses. Le mot latin le plus courant pour dire « âme » (*anima*), lesté de théologie, est rarement utilisé par le philosophe, qui lui préfère le mot latin *mens,* que l'on traduira plus justement par « esprit ». Or, contrairement à Descartes, Spinoza ne considère pas le corps et l'esprit comme deux substances différentes, mais comme une seule et même réalité s'exprimant selon deux modes différents : « L'esprit et le corps sont une seule et même chose, conçue tantôt sous l'attribut de la Pensée, tantôt sous l'attribut de l'Étendue[1]. » Il en résulte que le corps est de nature aussi divine que l'esprit, puisque la Pensée et l'Étendue, comme nous l'avons vu, sont deux attributs divins. Il est donc absurde de le dévaloriser ou de le brimer. Le corps a la même dignité que l'esprit. Il est essentiel à la croissance de l'esprit, comme l'esprit est essentiel à la préservation et à la croissance du corps. En fait, on ne peut ni les opposer ni les séparer. Ils fonctionnent ensemble, puisqu'ils ne sont que les deux faces d'une seule et même réalité. L'esprit est l'expression intellectuelle du corps ; lequel est l'expression étendue de l'esprit. L'esprit ne peut penser ou imaginer sans le corps, et le corps ne peut se mouvoir ou agir sans l'esprit. Toute connaissance de soi et de son esprit est une connaissance à travers le corps. Nous retrouvons ici ce qu'avait explicité Spinoza dans son *Traité théologico-politique* à propos de la connaissance prophétique : elle est toujours relative à l'imagination, à la sensibilité, au tempérament, à l'expérience corporelle du prophète. Il en va de même pour chacun d'entre nous : nous pensons à partir de notre corps. La perception

---

1. *Éthique*, III, proposition 2, scolie, p. 415.

que nous avons du monde et les idées qui en découlent sont liées à la manière dont notre corps est constitué et affecté par le monde extérieur. J'ai été frappé de constater que la pensée des grands philosophes est marquée du sceau de leur sensibilité corporelle. La philosophie pessimiste de Schopenhauer est très vraisemblablement liée à sa santé fragile et à son anxiété, comme la pensée optimiste de Montaigne à sa puissance corporelle et à sa joie de vivre.

Précisons à ce propos que, par corps, Spinoza n'entend pas uniquement le corps physique, mais la corporéité dans toutes ses dimensions : physique, sensorielle, émotionnelle, affective. On peut avoir une faible constitution physique (à cause d'un handicap, par exemple), mais une grande puissance corporelle du fait de l'intensité de nos désirs, de nos émotions, de nos capacités sensitives. Et lorsque le corps est malade, ce ne sont pas seulement des organes qu'il faut soigner. Il faut considérer aussi nos émotions, notre affectivité. C'est pourquoi Spinoza recommande de contenter le corps, de l'entretenir et d'augmenter sa puissance à travers toutes ces dimensions. « User des choses et y prendre plaisir autant qu'il se peut, est d'un homme sage, écrit-il. C'est d'un homme sage, dis-je, de se réconforter et de réparer ses forces grâce à une nourriture et des boissons agréables prises avec modération, et aussi grâce aux parfums, au charme des plantes verdoyantes, de la parure, de la musique, des jeux du gymnase, des spectacles, etc., dont chacun peut user sans faire tort à autrui[1]. »

On est donc aux antipodes aussi bien d'une médecine reposant sur une vision purement organique et mécaniste du corps, que d'une spiritualité ascétique, qui recommande de brimer le corps, de le mépriser, de l'ignorer, pour augmenter la puissance de l'esprit. Cette vision d'union substantielle du corps et de l'esprit a des conséquences dans tous les domaines : de la médecine à la spiritualité, mais aussi dans notre vie quotidienne et nos relations avec les autres.

Spinoza ne nie pas qu'il existe une forme de dualité en nous, mais celle-ci ne se situe pas, comme le pensaient Descartes et les moralistes chrétiens, entre le corps et l'esprit, entre la raison et les passions, mais entre la joie et la tristesse. Le clivage fondamental au sein de l'être humain ne sépare donc plus deux parties de son être, mais deux types d'affects : la joie et la tristesse, que Spinoza considère comme les deux sentiments fondamentaux. Pourquoi accorde-t-il tant d'importance à cette dualité joie-tristesse ?

La proposition 6 du livre III de l'*Éthique* constitue l'une des principales clés de la doctrine spinoziste : « Chaque chose, selon sa puissance d'être,

---

1. *Éthique*, 45, scolie, p. 529.

s'efforce de persévérer dans son être. » Cet effort (*conatus*, en latin) est une loi universelle de la vie, ce que confirmera la biologie moderne. Ainsi, le neurologue Antonio Damasio a-t-il consacré un ouvrage à Spinoza : *Spinoza avait raison. Joie et tristesse, le cerveau des émotions*, dans lequel il écrit : « L'organisme vivant est construit de telle sorte qu'il préserve la cohérence de ses structures et de ses fonctions contre les nombreux aléas menaçants de la vie[1]. » Spinoza constate ensuite que, de manière tout aussi naturelle, chaque organisme s'efforce de progresser, de grandir, de parvenir à une plus grande perfection. Il vise ainsi à augmenter sa puissance. Or notre corps et notre esprit sont affectés par de nombreux autres corps et idées qui proviennent du monde extérieur. Ces « affections » (*affectio*, en latin) ne sont pas nécessairement négatives : elles peuvent tout autant nous nuire et nous diminuer que nous régénérer et nous faire grandir. La contemplation d'un beau paysage, par exemple, constitue une rencontre avec un corps extérieur qui nous régénère. À l'inverse, entendre une parole blessante à notre égard constitue une rencontre avec une pensée qui nous fait du mal. Chaque fois qu'une rencontre avec une idée ou un corps extérieur s'accorde avec notre nature, elle augmente

---

1. Antonio Damasio, *Spinoza avait raison. Joie et tristesse, le cerveau des émotions*, Odile Jacob, 2003, p. 40.

notre puissance. Chaque fois au contraire qu'elle n'est pas en harmonie avec notre nature, elle la diminue. Et Spinoza constate encore que l'augmentation de notre puissance s'accompagne d'un sentiment (*affectus*, en latin, que je traduis indifféremment ici par « affect » ou « sentiment ») de joie, tandis que la diminution de notre puissance s'accompagne d'un sentiment de tristesse. « La joie, dit-il, est le passage d'une moindre à une plus grande perfection », comme « la tristesse est le passage d'une plus grande à une moindre perfection[1] ». Ainsi, la joie est l'affect fondamental qui accompagne toute augmentation de notre puissance d'agir, comme la tristesse est l'affect fondamental qui accompagne toute diminution de notre puissance d'agir. L'objectif de l'éthique spinoziste consiste, dès lors, à organiser sa vie grâce à la raison pour diminuer la tristesse et augmenter la joie jusqu'à la béatitude suprême.

Je précise bien « grâce à la raison », car, pour Spinoza, rechercher l'augmentation de notre puissance vitale, de notre puissance d'agir, et donc de la joie qui en découle, est naturel et universel. Tandis que l'ignorant poursuit cette quête par son imagination et une connaissance partielle, donc « inadéquate » des choses, le sage cherche à progresser par le biais de la raison,

---

1. *Éthique*, III, 11, scolie, p. 424.

qui lui donne une connaissance « adéquate » des choses. Spinoza distingue donc deux modes fondamentaux de connaissance, qui ont des conséquences pratiques décisives. Le premier genre est uniquement constitué des rencontres avec les corps et des idées extérieurs qui affectent notre corps et notre esprit. Ces rencontres produisent des images qui ne correspondent pas à la réalité objective, mais à la représentation qu'on s'en fait. Spinoza qualifie d'« inadéquate » (fausse, imparfaite, mutilée) la connaissance de moi-même et du monde qui en découle. C'est là le premier genre de connaissance : l'opinion qu'on se fait d'une chose liée à la représentation imaginative et partielle qu'on en a. Cependant, on peut dépasser ce stade imparfait de connaissance grâce au développement de la raison, qui s'appuie sur les « notions communes à tous les hommes, car tous les corps ont en commun certaines choses qui doivent être perçues par tous de façon adéquate, autrement dit de façon claire et distincte[1] ». Comme ces notions communes à tous les hommes, ces idées adéquates universelles, sont recouvertes par nos représentations imaginatives et nos opinions, nous devons nous aider de notre raison pour libérer ces notions communes et aussi, par la suite, arriver à discerner ce qui est bon et mauvais pour nous.

---

1. *Éthique*, II, 38, corollaire, p. 391.

Selon que notre mode de connaissance est davantage lié à notre imagination ou à notre raison, la joie qui découlera ne sera pas de même nature. La joie issue d'un affect lié à une idée inadéquate sera « passive », nous dit Spinoza, c'est-à-dire partielle et provisoire, car elle se fonde sur une connaissance erronée. Tandis qu'une joie liée à une idée adéquate sera « active », c'est-à-dire profonde et durable, car liée à une connaissance vraie.

Prenons un exemple très parlant : celui de la rencontre amoureuse. Spinoza définit l'amour comme « une joie qu'accompagne l'idée d'une cause extérieure[1] ». Dans le cadre d'une rencontre amoureuse, la cause extérieure, c'est la personne aimée. Mais Spinoza précise bien que la joie ne vient pas directement de cette personne, mais de l'*idée* qu'on en a. Or cette idée peut être fausse, partielle, imaginative, donc inadéquate, ou, au contraire, vraie, complète, fondée sur la raison, et donc adéquate. Dans le premier cas, la joie sera passive, elle ne durera que le temps de l'illusion sur laquelle est fondé cet amour. Et Spinoza précise que, lorsque nous sortirons de l'illusion et aurons une connaissance véritable de l'autre, la joie (passive) se transformera en tristesse, voire en haine (qu'il définit comme « une tristesse, qu'accompagne l'idée d'une cause extérieure[2] »). C'est

---

1. *Éthique*, III, 13 et 30, scolies.
2. *Éthique*, III, 13, scolie.

ce que nous pouvons observer si fréquemment. Bien souvent, la rencontre amoureuse commence par une illusion : nous tombons amoureux sans véritablement connaître l'autre. La psychanalyse a bien explicité le mécanisme de « projection », si fréquent dans la rencontre amoureuse : nous sommes attirés par une personne pour des raisons inconscientes : elle nous rappelle, par exemple, le père manquant ou trop autoritaire, la mère rejetante ou trop étouffante, et nous cherchons inconsciemment à rejouer un scénario névrotique de l'enfance pour nous en libérer. Nous attirons donc à nous, par la puissance de notre inconscient, des personnes qui sont en résonance avec nos problématiques infantiles non résolues. Mais nous pouvons aussi être attirés par des personnes pour un tas d'autres raisons illusoires : nous l'imaginons bonne, parce que nous la désirons sexuellement, ou nous sommes attirés par une face lumineuse d'elle qui se révélera un mensonge ou une posture destinée à nous séduire, etc. Bref, la plupart des rencontres amoureuses commencent par se nouer sur des illusions, sur une connaissance davantage fondée sur l'imagination que sur la raison. Il n'en demeure pas moins que la rencontre peut avoir, dans un premier temps, un impact positif considérable et semble augmenter notre puissance vitale en nous mettant dans la joie. C'est l'intensité de ce qu'on appelle, fort justement, la « passion » amoureuse.

Tant que durent la passion et la force du désir liées à l'illusion, la joie est là. Mais, dès lors que nous allons mieux connaître l'autre, l'imagination va progressivement céder la place à la réalité. Et c'est lorsque nous aurons une perception juste de l'autre que la joie, si elle était fondée sur une illusion, va se transformer en tristesse, et, parfois, l'amour en haine. Plus nous percevons l'autre de manière adéquate, plus la joie passive peut se transformer en joie active et la passion en amour profond et durable.

4

Comprendre ces sentiments qui nous gouvernent

« *Nous flottons, inconscients de notre sort et de notre destin.* »

A u début de la troisième partie de l'*Éthique*, consacrée à l'étude des sentiments (ou affects), Spinoza rappelle une chose fondamentale : l'être humain n'est pas dans la Nature « comme un empire dans un empire ». Il est partie intégrante de la Nature qui est une et agit partout de manière identique, « ce qui signifie que les lois et les règles de la Nature, suivant lesquelles toute chose est produite et passe d'une forme à une autre, sont partout et toujours les mêmes, et par conséquent il ne peut exister aussi qu'un seul et même moyen de comprendre la nature des choses, quelles qu'elles soient : par les lois et les règles universelles de la Nature[1] ».

---

1. *Éthique*, III, introduction, p. 412.

Ainsi convient-il de chercher à comprendre et à expliquer le comportement humain, comme on le fait pour n'importe quel phénomène naturel. Un ouragan survient : les météorologues cherchent à comprendre comment et pourquoi il s'est constitué, puis à décrire sa possible trajectoire, en fonction des autres phénomènes qu'il rencontre sur sa route. Il en va de même pour les comportements humains : plutôt que de s'en moquer, de les juger, de s'en plaindre ou de les haïr, cherchons à les décrypter, à en comprendre les causes, à les analyser, en se référant aux lois immuables de la Nature. Une colère s'explique aussi bien qu'une tornade, et la jalousie a des causes aussi rationnelles qu'une éclipse de soleil.

C'est la raison pour laquelle Spinoza appelle à ne poser aucun jugement sur les hommes et leurs actions, car il est impossible de les comprendre tant qu'on n'a pas compris les causes profondes qui les meuvent. « Les sentiments, dont les humains sont agités, seraient-ils autant de défauts auxquels nous succomberions, par notre faute ? Telle est l'opinion des philosophes [Spinoza entend ici surtout les moralistes, ce qui inclut les prêtres] qui prennent le parti soit d'en rire, soit de se lamenter, d'éclater en reproches, voire (par affection de rigorisme) en malédictions. Ils se figurent, sans doute, accomplir une œuvre sublime et atteindre à la plus haute sagesse en faisant l'éloge renouvelé d'une nature humaine fictive, pour accuser d'autant plus impitoyablement celle qui existe en fait. Car ils ne conçoivent pas les hommes tels qu'ils sont, mais tels que leur philosophie les voudrait être[1]. »

Spinoza nous invite donc à ne pas construire un modèle d'humanité en fonction duquel nous jugerions les actions humaines, mais à prendre l'être humain tel qu'il est, dans sa nature à la fois universelle et singulière, et à ne juger ses actions qu'en fonction des raisons, des causes profondes qui les ont motivées. C'est bien souvent impossible, c'est pourquoi il est si délicat de poser un jugement moral sur les êtres, lesquels, de surcroît, agissent le plus souvent à leur propre insu, sans avoir une quelconque conscience des causes de leurs actes. Après Jésus, qui ne cessait de répéter : « Ne jugez pas », et avant Freud, qui a si bien exploré le monde de l'inconscient, Spinoza a parfaitement explicité combien l'homme restait une énigme pour lui-même et, mieux encore, proposé un chemin de connaissance de ses affects afin qu'il gagne en lucidité, en liberté et en joie. Les théories freudiennes semblent parfois si proches des analyses de Spinoza que nombre de ses interlocuteurs n'ont pas manqué de demander au père de la psychanalyse pourquoi il n'avait jamais mentionné dans ses écrits sa dette envers le philosophe. Freud a apporté cette réponse le

---

1. *Traité politique*, I, 1, p. 918.

28 juin 1931, dans une lettre à Lothar Bickel :
« J'admets tout à fait ma dépendance à l'égard de
la doctrine de Spinoza. Il n'y avait pas de raison
pour que je mentionne explicitement son nom,
puisque j'ai construit mes hypothèses à partir du
climat qu'il a créé plutôt qu'à partir d'une étude
de son œuvre. »

Gilles Deleuze a trouvé l'expression juste pour
qualifier l'approche spinoziste des sentiments humains : « L'Éthique de Spinoza n'a rien à voir
avec une morale, il la conçoit comme une éthologie[1]. » Science récente du comportement des
êtres vivants, l'éthologie considère avant tout
comment chaque être (animal ou humain) a un
pouvoir d'affecter et d'être affecté, et les affects
(émotions et sentiments) qui en résultent. C'est
précisément ce que nous avons déjà évoqué :
Spinoza considère que tout ce qui nous constitue
(et explique notre comportement) provient des
rencontres (corps, idées) qui nous ont affectés
depuis notre naissance et qui ont produit en nous
des affects très divers. Autrement dit, tout dans
la vie est une question de bonne ou de mauvaise
rencontre. Une rencontre heureuse, harmonieuse,
qui convient à notre nature, augmente notre puissance d'être et d'action et procure des sentiments
positifs (joie, confiance, amour). Une rencontre

---

1. *Spinoza, philosophie pratique, op. cit.*, p. 164.

malheureuse, inappropriée, dévalorisante, nuisible, diminue notre puissance et nous plonge dans des affects négatifs (tristesse, peur, culpabilité, haine, etc.). Comme le disaient nos parents quand nous étions petits : fais bien attention à tes fréquentations !

Spinoza ne dit pas autre chose, mais il l'entend évidemment dans un sens beaucoup plus général. Tout notre bonheur et tout notre malheur proviennent des choses, des idées et des êtres qui vont nous affecter, pour le meilleur ou pour le pire. On peut, dès lors, se laisser flotter au gré de la fortune, c'est-à-dire des bonnes ou des mauvaises rencontres de la vie, sans discernement ni capacité à les susciter ou à les éviter. C'est ainsi que nous vivons spontanément, nous dit Spinoza : « Nous sommes agités de bien des façons par les causes extérieures, et, pareils aux flots de la mer agités par des vents contraires, nous flottons, inconscients de notre sort et de notre destin[1]. » Mais nous pouvons aussi prendre notre destinée en main et décider de devenir plus lucides sur nous-mêmes et sur les autres, d'acquérir une meilleure connaissance des lois universelles de la vie et de notre nature singulière. Fruit de l'expérience et de la raison, cette connaissance nous permet ainsi de savoir ce qui est bon et mauvais pour nous, ce qui s'accorde ou ne s'accorde pas

---

1. *Éthique*, III, 59, scolie, p. 468.

à notre nature, ce qui augmente ou diminue notre puissance et notre joie.

Prenons quelques exemples simples. Tout d'abord, l'alimentation. L'objectif poursuivi lorsque nous nous alimentons est la subsistance, la bonne santé et le plaisir du corps. Une loi universelle de la Nature veut que si nous absorbons une substance qui s'accorde mal avec notre nature singulière, il en résultera une diminution de notre puissance d'agir, sous la forme d'un problème de santé et d'un affect de tristesse. Ainsi est-il nécessaire de savoir quels aliments et quelles boissons s'accordent avec notre nature. Certes, il existe des règles générales valables pour tous les humains : l'eau est bonne pour tout le monde, et l'arsenic est un poison universel. Mais il existe aussi des variables pour chacun d'entre nous, qui dépendent de notre constitution physique singulière. Ainsi Untel supportera très bien une consommation régulière d'alcool, quand un autre n'en tolérera pas une goutte. Certains ont davantage besoin de protéines animales, quand d'autres peuvent très facilement s'en passer. Certains font des intolérances au gluten, d'autres aux fruits de mer, d'autres encore aux noix. Il s'agit donc de repérer, avec l'expérience, ce qui nous nuit et, au contraire, ce qui nous renforce. J'ai fait, il y a quelques années, un test sanguin qui visait à vérifier ma tolérance/intolérance à plus de 300 aliments. Le résultat a révélé que j'étais intolérant à cinq choses : le lait de vache, le gluten de blé, les amandes, les haricots blancs et la caféine. Je n'ai, en fait, rien appris, car cela faisait des années que je ne consommais plus ces aliments, ayant constaté qu'ils m'étaient nocifs, alors même que j'en adore le goût ! Et c'est là qu'intervient la raison : elle nous aide à dépasser les affects de plaisir et de déplaisir pour choisir ce qui nous fait du bien (parfois des aliments ou des médicaments au goût peu agréable) et renoncer à ce qui nous fait du mal, et qui est, hélas, parfois excellent ! S'appuyant sur l'expérience, la raison ordonne notre conduite alimentaire en fonction de ce qui augmente notre puissance corporelle ou de ce qui la diminue. Nous pouvons bien entendu faire l'inverse et préférer ne manger que des sucres et des matières grasses parce que nous adorons ça, même si nous en connaissons les méfaits pour notre santé. La sagesse, pour Spinoza, n'est pas un devoir. C'est une proposition offerte à ceux qui souhaitent augmenter la puissance de leur vitalité corporelle et spirituelle, et vivre de plus en plus dans la joie.

Je vais prendre un tout autre exemple : celui des nourritures de l'esprit. De même que nous avons un corps singulier, nous avons un esprit singulier, lequel se nourrit des rencontres les plus diverses, notamment avec des idées, des croyances, des mots. Comme pour l'alimentation, certaines rencontres sont nuisibles à tous et certains mots empoisonnent l'esprit de tout être humain : « tu ne vaux rien » ; « tu es un monstre », inversement, il y a des paroles qui le fortifient : « je t'aime » ; « tu es beau », etc. Mais il y a aussi des nourritures spirituelles positives pour certains sans l'être nécessairement pour d'autres. Certaines personnes ont besoin de croire en des forces supérieures qui les aident dans leur vie quotidienne, d'autres non. Certains se nourrissent de poésie, d'autres d'essais historiques et d'autres encore de romans policiers. Certains seront affectés négativement par certaines idées, quand d'autres, au contraire, en seront stimulés. Bref, l'expérience de la vie et l'usage de la raison nous permettent, si nous le souhaitons, d'organiser notre existence afin de faire les meilleures rencontres possibles et d'éviter, autant que faire se peut, les mauvaises.

Par un formidable travail d'observation de lui-même et de ses semblables, Spinoza cherche à élaborer une véritable science des affects. Il pose trois sentiments de base, d'où tous les autres découlent : le désir, qui exprime notre effort pour persévérer dans notre être ; la joie, qui permet l'augmentation de notre puissance d'agir ; la tristesse, qui diminue notre puissance d'agir. Il cherche ensuite à comprendre comment les autres affects naissent et se composent à partir de ces trois sentiments fondamentaux. Tous les affects sont des expressions particulières du désir, et ils seront une modalité de la joie s'ils augmentent notre puissance d'agir, ou de la tristesse s'ils la diminuent. Ainsi, Spinoza commence-t-il par définir une série d'affects qui associent désir, joie et tristesse, selon des objets qu'ils se donnent. L'amour, qui est fondé sur le désir, se donne pour objet une chose ou une personne et constitue une joie dans la mesure où l'idée que nous avons de cet objet augmente notre puissance d'agir (même si nous avons vu précédemment que cette joie pouvait se transformer en tristesse si cet amour est fondé sur une idée inadéquate). Inversement, la haine se donne pour objet un être dont l'idée diminue notre puissance d'agir et nous plonge dans la tristesse. C'est pourquoi Spinoza définit l'amour comme « une joie qu'accompagne l'idée d'une cause extérieure », et la haine comme « une tristesse qu'accompagne l'idée d'une cause extérieure[1] ». Selon la même logique, il définit la satisfaction intérieure comme « la joie qu'accompagne l'idée d'une cause intérieure », et le remords comme « la tristesse qu'accompagne l'idée d'une cause intérieure[2] ». Ces définitions par les objets se complexifient à l'infini selon que rentrent en compte d'autres mécanismes, telles

---

1. *Éthique*, III, 13, scolie.
2. *Ibid.*, III, 30, scolie.

la temporalité, l'association ou l'identification. Ainsi, Spinoza définit l'espoir comme « une joie inconstante, née de l'idée d'une chose future ou passée, dont l'issue nous paraît dans une certaine mesure douteuse », et la crainte comme la « tristesse inconstante, née de l'idée d'une chose future ou passée, dont l'issue nous paraît dans une certaine mesure douteuse[1] ». De même, il définit le sentiment de sécurité comme « la joie qui naît de l'idée d'une chose future ou passée au sujet de laquelle il n'y a plus de raison de douter », et le désespoir comme « la tristesse qui naît de l'idée d'une chose future ou passée au sujet de laquelle il n'y a plus de raison de douter[2] ». Ou bien encore, se référant davantage au mécanisme d'identification, il définit la pitié comme « la tristesse accompagnée de l'idée d'un mal qui est arrivé à un autre que nous imaginons être semblable à nous », ou bien l'indignation comme « la haine envers celui qui fait du mal à autrui[3] ». Les mécanismes d'identification et de similitude sont essentiels dans la compréhension des affects, nous dit Spinoza, car nous sommes naturellement portés à nous comparer aux autres. Les sentiments simples d'amour et de haine, par exemple, prennent de nombreuses formes plus

---

1. *Ibid.*, III, définition des sentiments, 12 et 13.
2. *Ibid.*, III, définition des sentiments, 14 et 15.
3. *Ibid.*, III, 22, scolie et définition des sentiments, 18.

complexes lorsqu'ils entrent en interaction avec la comparaison que nous établissons entre nous-même et les autres. Ainsi, la jalousie face au bonheur des autres naît-elle de la frustration que nous ne pouvons partager leur joie tant qu'ils en possèdent l'objet en exclusivité. Bien avant René Girard, Spinoza a souligné l'importance du désir mimétique : je désire une chose ou une personne parce qu'un autre la possède. Or, ces mécanismes qui produisent nos affects nous sont le plus souvent obscurs : nous n'avons aucune conscience des causes profondes qui font que nous sommes jaloux, amoureux, haineux, miséricordieux ou désespérés. Nous subissons notre affectivité, alors même qu'il faudrait l'instaurer.

Reprenant une formule célèbre d'Ovide, Spinoza rappelle ainsi que, bien souvent, « nous voyons le meilleur et nous faisons le pire ». Une amie m'a un jour confié : « J'aspire, dans ma vie amoureuse, à rencontrer un homme qui me rendra heureuse, et je ne cesse de rencontrer des personnes qui ne me conviennent pas et me rendent malheureuse. » C'est en parlant avec un thérapeute qu'elle a fini par comprendre qu'elle recherchait de manière inconsciente à revivre dans sa vie amoureuse l'humiliation que son père lui avait fait subir enfant en la maltraitant. Elle avait été empoisonnée enfant dans sa vie affective et elle recherchait ce qu'elle connaissait : le goût du poison. Elle aspirait au meilleur et elle ne rencontrait que le pire, parce qu'elle était prisonnière d'un mécanisme inconscient de reproduction, ce qu'on appelle en psychanalyse un scénario névrotique. Lorsque nous prenons conscience de cette cause inconsciente, nous pouvons nous en émanciper. Car c'est la connaissance des causes qui libère et nous permet d'agir de manière lucide en orientant notre action et nos choix vers ce qui nous fait grandir et nous met dans une véritable joie active.

On comprend mieux, dès lors, pourquoi le chemin vers la joie passe par la raison et le développement des idées adéquates, c'est-à-dire d'une juste connaissance de nous-mêmes, de ce qui nous convient et de ce qui ne nous convient pas, comme des lois universelles de la Nature, desquelles nous sommes tributaires puisque nous en sommes partie prenante. Pourtant, et c'est là que Spinoza nous surprend encore une fois, la raison comme la volonté ne suffisent pas à nous faire changer, affirme-t-il. Le moteur du changement, c'est le désir. Voyons pourquoi.

5

Cultivons le désir

« Le désir est l'essence de l'homme. »

N ous avons vu qu'une des notions les plus essentielles de la philosophie éthique de Spinoza était le *conatus*, l'effort que nous faisons pour persévérer et grandir dans notre être. C'est le moteur de toute notre existence, ce qui nous pousse à survivre et à accroître notre puissance d'exister. C'est par lui que Spinoza définit la volonté et le désir. « Cet effort, quand il se rapporte à l'esprit seul, s'appelle volonté[1]. » Lorsqu'il se rapporte au corps et à l'esprit, Spinoza le nomme « appétit », et il précise que ce que l'on appelle « désir » n'est autre que « l'appétit accompagné de la conscience de lui-même ». Autrement dit, le désir, c'est cet appétit,

---

1. *Éthique*, III, 9, scolie, p. 422.

cette puissance, cet effort qui nous fait rechercher consciemment telle ou telle chose. Or Spinoza affirme que « le désir est l'essence de l'homme[1] ». L'être humain est fondamentalement un être désirant. Par le *conatus,* sa nature le pousse sans cesse à désirer. Le désir n'a donc, en soi, rien de mauvais, bien au contraire. Ne plus rien désirer, c'est éteindre la flamme de la vie. C'est anéantir toute puissance vitale. C'est se déshumaniser. Et c'est cette force naturelle, cette puissance vitale, source de tous nos désirs, qui fonde la vertu et conduit au bonheur : « Le fondement de la vertu est l'effort même pour conserver son être propre, et le bonheur consiste pour l'homme à pouvoir conserver son être[2]. » Ainsi, la raison non seulement ne s'oppose pas à cette puissance vitale naturelle, mais elle l'accompagne pour qu'elle puisse s'exprimer pleinement. La sagesse ne consiste donc pas à brimer l'élan vital, mais à le soutenir et à le guider. Elle ne consiste pas à diminuer la force du désir, mais à l'orienter. « La Raison ne demande rien contre la Nature ; elle demande donc que chacun s'aime soi-même, qu'il cherche l'utile qui est sien, c'est-à-dire ce qui lui est réellement utile, et qu'il désire tout ce qui conduit réellement l'homme à une plus grande perfection[3]. »

1. *Ibid.*, III, définition des sentiments, 1, p. 469.
2. *Éthique*, IV, 18, scolie, p. 505.
3. *Éthique*, IV, 18, scolie, p. 504.

Cultivons le désir

La sagesse de Spinoza est donc très différente de celles qui considèrent le désir comme un manque (Platon) ou comme un affect indifférent (stoïciens) ou à diminuer (traditions ascétiques), à cause des égarements et de l'attachement qu'il procure. Le désir n'exprime pas un manque, mais une puissance, répond Spinoza à Platon. Il n'est pas dangereux en soi, mais en tant qu'il est mal orienté, et il ne faut surtout pas le supprimer, mais le guider, clame-t-il aux ascètes de toutes les religions qui prônent le renoncement. Car vouloir supprimer ou diminuer le désir, c'est diminuer la puissance vitale de l'être humain, c'est chercher, au nom d'un idéal surhumain, à lui enlever l'un des fondements de son humanité. L'ascèse, le renoncement au désir, n'est pas une vertu pour Spinoza, mais une diminution de la puissance d'être, qui conduit davantage à la tristesse qu'à la joie. Il ne faut pas diminuer ou supprimer le désir, mais l'orienter par la raison. Apprendre à l'orienter vers des personnes ou des choses qui augmentent notre puissance et notre joie au lieu de la diminuer. La sagesse, comme je l'ai dit précédemment, ce n'est pas éviter toute rencontre, c'est apprendre à sélectionner les rencontres pour favoriser les bonnes et éviter les mauvaises. C'est discerner et désirer ce qui est bon pour nous, ce qui nous apporte les plus belles joies. Ce n'est pas diminuer la force du désir, c'est le réorienter lorsqu'il est mal dirigé et que nous sommes malheureux, parce que nous désirons ou sommes attachés à des choses ou des personnes qui nous diminuent au lieu de nous élever.

En cela, Spinoza s'accorde avec la plupart des grands courants de sagesse philosophiques de l'Antiquité, tels l'épicurisme ou l'aristotélisme : il faut guider le désir par la raison et la volonté et le réorienter vers des biens véritables, qui élèvent l'homme au lieu de l'avilir ou de le rabaisser. Certes, mais Spinoza va plus loin. Tandis que les épicuriens mettent l'accent sur la raison et que les stoïciens s'appuient sur la volonté, il affirme que la raison et la volonté ne suffisent pas à nous faire changer. Si essentielles soient-elles, elles ne possèdent pas la force qui, seule, peut nous arracher à une passion mauvaise, à un attachement destructeur, à une dépendance. La seule force qui peut véritablement nous faire changer, c'est le désir. Voilà une puissance du corps et de l'esprit capable de mobiliser tout notre être pour l'amener à changer, là où la raison et la volonté, exclusivement liées à l'esprit, peuvent se révéler impuissantes. Contrairement à Platon ou à Descartes, il n'oppose pas la raison et l'affectivité. Le désir mobilise la totalité de notre être, quand la raison et la volonté ne mobilisent que notre esprit : c'est pourquoi la raison a besoin des sentiments pour nous conduire à la sagesse. Ainsi, Spinoza affirme-t-il cette vérité capitale :

« Un sentiment ne peut être contrarié ou supprimé que par un sentiment plus fort que le sentiment à contrarier[1]. » Ainsi, on ne supprimera pas une haine, un chagrin ou une peur simplement en se raisonnant, mais en faisant surgir un amour, une joie, un espoir. Le rôle de la raison consiste donc à repérer une chose ou une personne susceptible d'éveiller en nous un sentiment positif, plus grand que l'affect négatif qui nous plonge dans la tristesse, et donc capable d'éveiller un nouveau désir.

Une personne qui souffre d'une addiction aura beau se raisonner – « je suis malheureux, il faut que j'arrête, je me détruis et je gâche ma vie » –, cela ne lui donnera pas pour autant l'impulsion décisive qui la fera se libérer de cette situation de dépendance. Ce qui l'aidera, en revanche, c'est de découvrir un affect positif qui la poussera à s'affranchir de sa dépendance : tomber amoureux, s'occuper avec joie de quelqu'un, se découvrir une passion pour une activité quelconque, etc. Ces sentiments positifs pourront susciter en elle un nouveau désir, lequel mobilisera sa volonté pour lui donner la force de suivre sa raison. J'ai ainsi connu un jeune adulte dépressif, incapable de quitter sa chambre et de prendre sa vie en main. Une amie eut un jour la bonne idée de lui offrir un chat. En quelques jours, il s'est

---

1. *Ibid.*, IV, proposition 7, p. 496.

intéressé au chat et s'est attaché à lui. Cet amour a déclenché le désir de prendre soin de l'animal et a mobilisé ses forces pour se lever le matin afin de le nourrir, sortir lui acheter ce dont il avait besoin, l'amener chez le vétérinaire, etc. Peu à peu, ce jeune homme est sorti de sa dépression, il est redevenu actif et s'est resocialisé. Son amour pour ce chat a été plus fort que le découragement qui l'envahissait, et a suscité en lui d'autres perspectives lui permettant de changer.

Nous sommes bien loin d'une morale du devoir fondée sur la répression de l'affectivité, du désir et des instincts. La « gestion » du désir, sa réorientation, deviennent la clé du bonheur et de l'épanouissement. Comme je l'ai déjà évoqué ailleurs[1], ce que théorise Spinoza en termes éthiques et philosophiques, Jésus l'a, des siècles auparavant, mis en pratique, au nom de la spiritualité d'amour qu'il prône. Ce que Spinoza appelle une passion, c'est-à-dire un désir lié à une idée inadéquate, donc mal orienté, Jésus, lui, le nomme « péché », mot qui, en hébreu, signifie « manquer sa cible ». Au fil des siècles et du développement de la tradition chrétienne, le « péché » est devenu un mot culpabilisant, portant le poids d'une morale écrasante, celle des interminables listes de péchés dressées par l'Église, dont certains sont censés

_____

1. *La Puissance de la joie*, Fayard, 2015, p. 110-112.

nous conduire droit en enfer. Il n'en est rien dans l'Évangile. Jésus ne juge ni ne condamne jamais personne. Lorsqu'il sauve la femme adultère de la lapidation, il lui dit : « Je ne te condamne pas. Va, et désormais ne pèche plus », ce qu'un spinoziste pourrait traduire par : « Grandis dans ton désir, réoriente-le, ne te trompe plus de cible. » Il en va toujours ainsi avec le Christ, qui ne juge ni ne condamne, mais sauve et relève, selon la phrase de l'évangéliste Jean : « Dieu n'a pas envoyé Son Fils dans le monde pour qu'il juge le monde, mais pour que le monde soit sauvé par lui[1]. » Jésus (pas plus que Spinoza) ne dit jamais « c'est bien » ou « c'est mal », mais plutôt « c'est vrai » ou « c'est faux », cela te fait grandir, ou cela te diminue. Et, plutôt que d'écraser ses interlocuteurs par une condamnation morale, il les aide à se relever par un geste ou un regard aimant. L'évangéliste Luc, par exemple, nous narre l'histoire de Zachée[2]. Voici un collecteur d'impôts véreux, détesté de tous, un publicain qui prend l'argent de son peuple pour le donner aux Romains – et, au passage, il en dérobe la moitié pour le mettre dans sa poche. En bref, cet homme est totalement corrompu. Néanmoins, quand Jésus arrive dans son village, Zachée est très impressionné. Petit de taille, il grimpe sur

---

1. Jean III, 17.
2. Luc XIX, 1-10.

un sycomore pour l'apercevoir. Tout le monde suppose que Jésus prendra son repas chez l'habitant le plus religieusement respectable : le prêtre ou le pharisien. Pas du tout ! Jésus lève les yeux, aperçoit Zachée et l'interpelle : « Descends vite, car il me faut aujourd'hui demeurer chez toi. » Bouleversé, Zachée dégringole de son arbre, se jette aux pieds de Jésus et lui annonce : « Je vais donner la moitié de mes biens aux pauvres, et si j'ai extorqué quelque chose à quelqu'un, je lui rends le quadruple. » Zachée n'a pas décidé de changer sa conduite parce que Jésus lui aurait donné une quelconque leçon de morale ou lui aurait promis l'enfer, mais parce qu'il l'a regardé avec amour. Et, par cet amour, il a éveillé en Zachée le désir d'être meilleur, de grandir, de changer de vie. Jésus, à l'instar de Spinoza, est « le maître du désir », ce que Françoise Dolto avait parfaitement exprimé dans son *Évangile au risque de la psychanalyse*. Et, de même que la philosophie de Spinoza est une philosophie de la joie, de même l'enseignement de Jésus conduit à la joie : « Je vous donne ma joie pour que votre joie soit complète[1]. » C'est ce message que le pape François tente aujourd'hui de réhabiliter, en rappelant aux clercs et aux fidèles catholiques que l'Église a pour vocation de toucher les cœurs par l'exemple, par l'amour et par la joie, plutôt

---

1. Jean XV, 11.

que de se crisper sur un discours moralisateur qui exclut tous ceux qui cheminent en dehors des règles. Et ce n'est pas un hasard si son premier texte pontifical s'intitule : « La joie de l'Évangile ».

La conception spinoziste du désir et de l'affectivité constitue donc une rupture profonde avec la tradition philosophique et religieuse classique. De manière traditionnelle, on oppose l'affectivité à la raison et à la volonté, celles-ci ayant pour mission de dompter nos affects. Spinoza nous montre qu'il n'en est rien et que nos affects ne constituent pas un mal qu'il s'agirait d'endiguer. Il remplace la dualité raison/affectivité par la dualité activité/passivité. La passivité, comme nous l'avons vu, est un état où nous sommes mus par des causes extérieures et des idées inadéquates. L'activité intervient lorsque nous agissons à partir de notre nature propre et d'idées adéquates. Dans le premier cas, nous subissons (d'où le mot « passion », du grec *pathos*), car notre affectivité subit une influence extérieure dont nous n'avons pas conscience ou dont nous avons une connaissance partielle ou erronée. Dans le second, nous agissons, car nos affects proviennent de notre nature et sont éclairés par une juste connaissance de leurs causes. C'est pourquoi la passion produit des joies passives et l'action des joies actives. Ce qui constitue un mal n'est donc pas l'affectivité ou le désir, mais la passivité dans l'affectivité ou le désir. Il s'agit alors de convertir cette passivité en activité par l'usage de la raison et des sentiments. Il s'agit de convertir nos passions – liées à notre imaginaire et à des idées partielles, tronquées, inadéquates – en actions, c'est-à-dire en affects liés à des idées adéquates. Ainsi, nous ne subissons plus notre affectivité, nous l'instaurons, nous réorientons consciemment nos désirs vers ce qui est le plus conforme à notre nature, vers les choses ou les êtres qui nous font grandir, nous mettent dans une joie véritable et durable.

L'être humain est fondamentalement un être de désir. Tout désir est la poursuite de la joie, c'est-à-dire une augmentation de notre puissance vitale. La tristesse, à l'inverse, exprime une diminution de notre puissance d'être, car elle vient d'une mauvaise rencontre, qui s'accorde mal avec notre nature, ou d'une passion, donc d'un désir mal orienté, mal éclairé, influencé par une cause extérieure qui nous échappe. Nous vivons le plus souvent sous l'emprise de nos passions, qui nous apportent des joies passives, donc provisoires, voire des tristesses. Le chemin proposé par Spinoza consiste à s'appuyer sur notre puissance vitale, nos désirs, nos sentiments, en les éclairant par le discernement de la raison afin de remplacer nos idées imparfaites, partielles, inadéquates, imaginaires, par une vraie connaissance qui transforme nos affects passifs en affects actifs, ne dépendant que de nous.

6

Par-delà le bien et le mal

« Nous appelons bon ce que nous désirons. »

Il existe un second point de rupture, tout aussi essentiel, entre la pensée de Spinoza et la tradition philosophique idéaliste depuis Platon, qui affirme qu'on désire une chose parce qu'elle est bonne. Le bien aimante notre désir. Si je désire pratiquer la justice, c'est parce qu'elle est bonne en soi ; si je désire manger du chocolat, c'est parce que c'est bon. Or, Spinoza nous dit exactement l'inverse : « Nous ne désirons aucune chose parce que nous jugeons qu'elle est bonne, mais, au contraire, nous appelons bon ce que nous désirons. » Quelle révolution du regard ! Ce n'est pas parce que la justice est bonne en soi que je la désire, nous dit-il, mais c'est parce que j'ai un désir de justice que je l'estime bonne. Et si j'ai envie de manger du chocolat, ce n'est pas parce que le chocolat est bon – certaines personnes n'aiment pas le chocolat –, mais c'est parce que j'en ai le désir que je dis qu'il est bon. Spinoza rapporte le bien à nos goûts et à nos désirs subjectifs. Une personne qui a le désir de Dieu affirmera que Dieu est bon, à l'inverse, une personne qui n'a aucun désir de Dieu n'en pensera rien et ne pourra souscrire à une telle affirmation. L'amateur de musique classique sera bouleversé et trouvera sublimes le *Requiem* de Mozart et les *Variations Goldberg* de Bach, en revanche, celui qui n'aime que le heavy metal n'y entendra rien de beau ou de bon. C'est le désir qui nous fait apprécier qu'une chose est bonne, et non l'inverse : voilà de quoi relativiser toute la morale traditionnelle.

Spinoza considère en effet qu'il n'existe pas un Bien transcendant et universel vers lequel tout être devrait tendre, et un Mal transcendant et universel que tous devraient éviter. Il considère ce qui est bon et ce qui est mauvais pour chaque individu en particulier : « Nous appelons bon ou mauvais ce qui est utile ou nuisible à la conservation de notre être, c'est-à-dire ce qui augmente ou diminue, aide ou contrarie notre puissance d'agir. En tant donc que nous percevons qu'une chose nous affecte de joie ou de tristesse, nous l'appelons bonne ou mauvaise[1]. » La

---

1. *Éthique*, IV, 8, démonstration, p. 497.

vertu, la conduite juste, ce n'est donc rien d'autre que l'action de rechercher ce qui est bon et utile à l'augmentation de notre puissance vitale. Se mettre en quête de ce qui nous met en joie et fuir ce qui nous rend tristes. C'est favoriser les rencontres qui nous font grandir et éviter celles qui nous diminuent. La conduite d'une vie est propre à chaque individu et relative à sa nature singulière. Le philosophe prend toutefois soin de préciser, et c'est essentiel, que cela n'est vrai que si nous sommes éclairés par la raison. Si nous sommes mus par notre imaginaire ou par des idées inadéquates, nous serons soumis à nos passions et, croyant faire ce qui est bon pour nous, nous nous ferons du mal et sans doute aussi aux autres. C'est aussi la raison pour laquelle la loi religieuse est utile, et la loi sociale, indispensable. L'une et l'autre prennent acte de l'imperfection humaine et exigent l'obéissance à une loi, ce qui rend possible la vie en société. Autant Spinoza, on l'a vu, prend ses distances avec la loi religieuse, qu'il estime nécessaire de dépasser sitôt qu'on est capable de comprendre les décrets de Dieu par les seules forces de notre entendement, autant il est catégorique sur la nécessité de suivre la loi de la cité pour tous les citoyens, qu'ils soient sages ou ignorants. Sans cela, toute vie en société serait impossible. C'est au sein de ce cadre politique (et non éthique) qu'il estime légitimes les catégories normatives de bien et de faute, de juste

et d'injuste, etc.[1]. Et Spinoza de préciser : « Si
les hommes naissaient libres, ils ne formeraient
aucun concept du bien et du mal, aussi longtemps qu'ils seraient libres[2]. » L'homme libre,
en effet, est entièrement mû par la raison et des
idées adéquates. Tandis que l'homme asservi au
pouvoir des sentiments et des idées inadéquates
a besoin de se forger ces catégories de bien et
de mal extrinsèques à lui, afin de se protéger de
lui-même. C'est pourquoi rien n'est plus utile
à chaque individu et à la société tout entière
que chaque être humain cherche à vivre sous la
conduite de la raison : « En tant que les hommes
sont dominés par des sentiments qui sont des
passions, ils peuvent s'opposer les uns aux autres
[...]. Dans la seule mesure où les hommes vivent
sous la conduite de la Raison, ils s'accordent toujours nécessairement par nature[3]. » Et c'est ainsi,
nous dit Spinoza, que les hommes seront le plus
utiles les uns aux autres : « C'est lorsque chaque
homme cherche avant tout l'utile qui est sien
que les hommes sont le plus utiles les uns aux
autres[4]. » Comme nous l'avions déjà évoqué lors
de l'étude du *Traité théologico-politique*, Spinoza
nous enseigne qu'aucun régime politique, même

---

1. *Éthique,* IV, 37, scolie 2.
2. *Ibid.*, IV, 68, proposition.
3. *Ibid.*, IV, propositions 34 et 35.
4. *Ibid.*, IV, 35, corollaire 2.

démocratique, ne fonctionnera bien tant que les humains seront davantage mus par leurs passions que par leur raison. Tant que nous ne respecterons la loi de la cité que par peur de la punition et non par intime conviction, nos sociétés seront fragiles. On le constate lors de catastrophes naturelles avec les pillages qui s'ensuivent. Dès que le gendarme n'est plus là, certains individus libèrent leurs désirs déréglés, sans aucun complexe. Pour que les êtres humains soient le plus utiles les uns aux autres, il ne suffit pas qu'ils souscrivent à la même loi extérieure, il faut aussi qu'ils apprennent à régler leurs sentiments par la raison, afin de devenir libres et responsables.

C'est une véritable révolution copernicienne de la conscience morale qu'instaure Spinoza : la vraie morale ne consiste plus à chercher à suivre des règles extérieures, mais à comprendre les lois de la nature universelle et de notre nature singulière afin d'augmenter notre puissance d'agir et notre joie... et c'est ainsi que nous serons le plus utiles aux autres. Ce n'est pas en courbant l'échine sous des prescriptions morales et religieuses, mais en augmentant notre force personnelle, sous la conduite de la raison, que nous serons le plus certains d'agir de manière bonne pour nous-mêmes et que nous serons utiles aux autres. Être vertueux, de son point de vue, ce n'est pas obéir. « Agir par vertu, écrit Spinoza, n'est rien d'autre en nous qu'agir, vivre, conserver son être sous la conduite de la Raison, et cela d'après le principe qu'il faut chercher l'utile qui nous est propre[1]. » À la morale traditionnelle, fondée sur des catégories transcendantes du bien et du mal, Spinoza substitue une éthique fondée sur la recherche rationnelle et personnelle du bon et du mauvais. L'homme vertueux n'est plus celui qui obéit à la loi morale ou religieuse, mais celui qui discerne ce qui augmente sa puissance d'agir. Tandis que l'homme de la morale traditionnelle se complaira dans des sentiments qui diminuent sa puissance vitale (tristesse, remords, crainte, culpabilité, pensée de la mort), l'homme éthique de Spinoza ne recherche que ce qui affermit en lui la puissance vitale. Il tourne résolument le dos à la tristesse et à tous les sentiments morbides pour ne penser qu'à faire grandir la joie véritable.

On comprend pourquoi Nietzsche, qui n'aura de cesse de déconstruire les catégories morales transcendantes du bien et du mal établies par la morale chrétienne, puis par Kant, jubilera en découvrant la pensée de Spinoza : « Je suis très étonné, ravi ! J'ai un précurseur, et quel précurseur ! [...] ma solitude, qui comme du haut des montagnes, souvent, souvent, me laisse sans souffle et fait jaillir mon sang, est au moins une

---

1. *Ibid*, IV, 24, démonstration, p. 509.

dualitude. Magnifique[1] ! » Ces lignes ont été
écrites le 30 juillet 1881, or Nietzsche confes-
sera que c'est en août de cette même année qu'il
aura toutes les grandes intuitions de son œuvre
à venir. De fait, ce n'est que quelques années
plus tard que sont publiés ses grands ouvrages de
déconstruction de la morale traditionnelle (*Par-
delà le bien et le mal* en 1886, la *Généalogie de
la morale* en 1887). L'influence de Spinoza sur sa
pensée est donc immédiate et majeure. Nietzsche
suit également Spinoza sur le remplacement de la
dualité bien-mal par la différence bon-mauvais :
« Par-delà le Bien et le Mal, cela du moins ne
veut pas dire : par-delà le bon et le mauvais »,
précise-t-il dans *Généalogie de la morale*[2]. À la
suite de Spinoza, Nietzsche construit aussi son
éthique à partir de la joie et en vue de la joie,
mais de manière fragmentaire et par aphorismes,
là où le philosophe hollandais a construit un
puissant système rationnel.

Spinoza va encore plus loin et entend montrer
que l'éthique vise à libérer l'être humain de la
servitude volontaire, celle de son enchaînement
aux passions : « L'impuissance de l'homme à
gouverner et à contenir ses passions, je l'appelle Servitude. En effet, l'homme soumis aux

1. Lettre à Franz Overbeck, Sils-Maria, 30 juillet 1881.
2. Nietzsche, *Généalogie de la morale*, 1ere dissertation, 17.

sentiments ne dépend pas de lui-même, mais de la fortune, dont le pouvoir sur lui est tel qu'il est souvent contraint de faire le pire même s'il voit le meilleur[1]. » L'éthique de Spinoza n'apporte aucune injonction morale – « tu dois », « il faut » –, mais nous propose d'acquérir un discernement personnel sur les causes de nos sentiments afin de grandir en puissance, en liberté et dans la joie. Car, comme il ne cesse de le répéter, « les hommes ignorent le plus souvent les causes de leurs désirs. Ils sont en effet conscients de leurs actions et de leurs désirs, mais ignorants des causes qui les déterminent à désirer quelque chose[2]. » C'est parce qu'ils n'ont pas compris que le salut et le bonheur véritables passent par une remise en ordre rationnelle de leur vie intérieure et de leur affectivité que les humains ont inventé la loi religieuse et la morale laïque du devoir, qui reposent toutes les deux sur un ordre extérieur inexplicable. « La foule est incapable de percevoir les vérités un peu profondes, écrit Spinoza dans une lettre à Guillaume de Blyenbergh. C'est pourquoi, j'en suis persuadé, les prescriptions révélées par Dieu aux prophètes, comme indispensables au salut, ont été consignées sous forme de lois[3]. » Cela nous

---

1. *Éthique*, IV, préface, in *Œuvres, op. cit.*, p. 487.
2. *Ibid.*, p. 488.
3. Lettre 19 du 5 janvier 1665, in *Œuvres, op. cit.*, p. 625.

rassure de penser que nous agissons de manière bonne, parce que nous obéissons à la loi morale qui s'impose à nous de manière transcendante. C'est confortable, car cela nous empêche de réfléchir et de comprendre que c'est à l'intérieur de nous qu'il faut chercher ce qu'il convient de faire. Non pas à travers un impératif catégorique de type kantien, qui reste indémontrable – ma conscience me dicte la loi morale universelle –, mais à travers une observation de soi minutieuse qui nous permet de discerner ce qui est bon et ce qui est mauvais pour nous, et donc de mener une conduite juste, qui, parce qu'elle est réglée par la raison, ne saurait nuire à autrui. L'éthique immanente et rationnelle du bon et du mauvais remplace ainsi la morale transcendante et irrationnelle du bien et du mal. Une passion n'est plus, dès lors, dénoncée comme un vice, ainsi qu'il en va dans la théologie chrétienne ou la morale classique, mais comme un poison et un esclavage. L'éthique spinoziste consiste à passer de l'impuissance à la puissance, de la tristesse à la joie, de la servitude à la liberté.

On le voit une fois encore, la question de la liberté est au cœur du projet de Spinoza. De même que la liberté de penser était le véritable but recherché par son *Traité théologico-politique*, la liberté intérieure est l'ultime fin poursuivie par son *Éthique*. Or, et c'est la grande difficulté de sa pensée, Spinoza affirme que tout est déterminé et que le libre arbitre n'existe pas. Examinons maintenant ce paradoxe, et voyons enfin comment Spinoza envisage le salut de l'être humain, qu'il appelle « Béatitude ».

7

Liberté, éternité, amour

> « Nous sentons et nous expérimentons que nous sommes éternels. »

La question de la liberté chez Spinoza repose sur un paradoxe apparent : elle traverse toute une œuvre pourtant fondée sur une notion de déterminisme cosmique qui semble l'annihiler. Au tout début de l'*Éthique*, après avoir défini Dieu comme la Substance unique, Spinoza affirme qu'il est « la cause immanente de toutes choses[1] » et que « toutes choses ont été prédéterminées par Dieu[2] ». La Nature est le déploiement de cette causalité première, et tout, dans le monde, est déterminé par des causes et

---

1. *Éthique*, I, 18.
2. *Éthique*, I, appendice.

produit à son tour des effets. Cet enchaînement des causes et des effets – qui n'est pas sans rappeler la notion hindoue et bouddhiste de *karman*, la loi de causalité universelle – s'applique à tout, y compris aux actions humaines, dont les causes nous sont le plus souvent inconnues. Précisons toutefois que ce déterminisme n'a rien de religieux : il n'est pas l'expression d'une fatalité ou d'un destin. Nulle volonté divine supérieure, que l'on pourrait éventuellement faire infléchir par nos prières, n'en est la source. Il est simplement, de manière presque mécanique, le déploiement d'une causalité première à travers l'ensemble du cosmos. L'être humain se trouve jeté dans cet immense enchaînement de causes et d'effets, et va être entièrement conditionné par lui, tout en y participant, puisqu'il produira à son tour des effets par ses actes. Comment, au sein d'un tel déterminisme universel, faire émerger la possibilité d'une liberté individuelle ?

Avant d'expliquer ce que peut être la liberté, Spinoza commence par expliciter ce qu'elle n'est pas : le libre arbitre. Descartes, à la suite des théologiens chrétiens, affirme que l'être humain est la seule créature à posséder un libre arbitre, c'est-à-dire une indétermination de sa volonté, qui peut lui permettre d'effectuer des choix qui ne soient pas déterminés par des affects, donc des désirs. Spinoza n'en croit pas un mot. Il affirme, comme nous l'avons vu, que « l'homme n'est pas un empire dans un empire » et qu'il est soumis à la même loi de causalité – aussi bien dans son corps que dans son esprit – que toute chose et que tout être vivant. Le libre arbitre n'est qu'une illusion : « Les hommes se croient libres parce qu'ils ont conscience de leurs volitions et de leur appétit, et qu'ils ne pensent pas, même en rêve, aux causes qui les disposent à désirer et à vouloir, parce qu'ils les ignorent[1]. » C'est donc parce que nous n'avons aucune conscience des causes qui motivent nos actions que nous nous pensons libres. Dès lors que nous commençons à nous observer attentivement, nous prenons conscience que nos choix et nos désirs, que nous croyions orientés de manière libre, sont en fait déterminés par toutes sortes de causes. La psychologie des profondeurs ne dira pas autre chose : nos désirs et nos actes sont motivés par des causes qui échappent à notre conscience. Sommes-nous, pour autant, condamnés à n'agir qu'en raison de causes qui nous échappent ? Non, affirme Spinoza, la liberté existe, mais il s'agit de la redéfinir en profondeur.

Pour cela, il procède en deux temps. Dans un premier temps, il affirme qu'« est dite libre, la chose qui existe d'après la seule nécessité de sa nature et est déterminée par soi seule à agir[2] ».

---

1. *Œuvres, op. cit.*, p. 347. Et *Éthique*, II, 35, scolie.
2. *Ibid.*, I, définition 7, p. 310.

À cet égard, « Dieu seul est cause libre[1] », c'est-à-dire parfaitement autonome et sous la contrainte d'aucune cause. Dans un deuxième temps, Spinoza affirme aussi que l'être humain est d'autant plus libre qu'il agit selon sa propre nature, selon son « essence singulière », et non pas seulement sous l'influence de causes qui lui sont extérieures. Autrement dit, plus nous formons des idées adéquates, plus nous sommes conscients des causes de nos actions, plus nous sommes capables d'agir en fonction de notre nature propre, et plus nous serons autonomes. Plus nos actes relèveront de l'essence singulière de notre être, et non plus des causes extérieures, plus ils seront libres.

Cela est rendu possible par l'exercice de la raison : « Je déclare l'homme d'autant plus en possession d'une pleine liberté, qu'il se laisse guider par la raison. Car, dans cette mesure précise, sa conduite est déterminée par des causes qui sont adéquatement compréhensibles à partir de sa seule nature, même si la détermination de sa conduite par ces causes a un caractère nécessaire[2]. » Ce que dit Spinoza est extrêmement précis : nous sommes libres parce que nous agissons, grâce à la raison, à partir de notre nature singulière et non sous l'influence des causes extérieures, mais il n'en demeure pas moins que notre conduite

---

1. *Ibid.*, I, 17, corolaire et scolie.
2. *Traité théologico-politique*, II, 11, p. 928.

ne sera pas due au hasard, mais à la détermination de notre propre nature. Autrement dit, être
libre, c'est être pleinement soi-même ; mais être
soi-même, c'est répondre aux déterminations de
sa nature. Un homme restera toujours déterminé
par ce qu'il est dans son essence singulière, qui
est un mode des attributs divins de la Pensée
et de l'Étendue. En cela, nous ne serons jamais
libres d'être autres que ce que nous sommes dans
notre nature profonde et divine, et donc aussi de
faire autre chose que ce qu'il nous est possible de
faire selon notre nature singulière. Par exemple,
un individu de tempérament actif le restera toute
sa vie, mais il pourra agir plus ou moins bien,
de manière plus ou moins conforme à sa nature
profonde et utile aux autres, ce qui le rendra plus
ou moins libre. De même, un individu confronté
à un obstacle qui le contrarie pourra réagir de
manière très différente selon qu'il sera mû par ses
affects ou par la raison. S'il parvient à dominer
ses sentiments de tristesse, de peur ou de colère,
il sera plus libre que s'il ne peut y parvenir.

Spinoza redéfinit ainsi la liberté, d'une part
comme intelligence de la nécessité, d'autre part
comme libération par rapport aux passions.
L'ignorant sera ainsi esclave de ses passions, et
finalement malheureux, parce qu'enchaîné par
ses affects dont il ignore les causes, quand le sage
agira sous l'emprise de la raison et sera heureux,
car libéré de la servitude de l'ignorance et des

passions. La liberté s'oppose à la contrainte, mais non à la nécessité. On est d'autant plus libres qu'on est moins contraints par les causes extérieures et qu'on comprend la nécessité des lois de la Nature qui nous déterminent. Ensuite, la libération de la servitude augmente notre puissance d'agir et notre joie, pour nous conduire, comme nous allons bientôt le voir, jusqu'à la joie infinie de la béatitude. Intelligence de la nécessité, libération : c'est ainsi qu'on peut comprendre la redéfinition de la liberté opérée par Spinoza et je suis, une fois encore, étonné de constater à quel point cette conception rejoint celle de l'hindouisme et du bouddhisme, qui affirment le même déterminisme cosmique et la même possibilité d'atteindre la joie parfaite, à travers une connaissance véritable qui procure la libération (*moksha* ou *nirvana*).

Autant la connaissance rationnelle nous rend libres, autant elle est insuffisante pour nous conduire au bonheur suprême, que Spinoza appelle la « Béatitude ». Pour cela, un troisième genre de connaissance est nécessaire : la science intuitive. Nous avons vu que l'opinion et l'imagination constituaient le premier genre de connaissance, mais qu'elles nous maintenaient dans la servitude. Le deuxième genre est fondé sur la raison, qui nous permet de nous connaître et d'ordonner nos affects. Le troisième genre, qui ne peut exister que dans le prolongement du deuxième, est l'intuition, grâce à laquelle nous pouvons saisir la relation entre une chose finie et une chose infinie, entre l'existence modale de notre corps et de notre esprit et l'existence éternelle des attributs divins. C'est par elle que nous pouvons percevoir l'adéquation entre notre monde intérieur, ordonné par la raison, et la totalité de l'Être ; entre notre cosmos intime et le cosmos entier ; entre nous et Dieu. Cette saisie intuitive nous procure la plus grande félicité, la joie la plus parfaite, car elle nous fait entrer en résonance avec l'univers entier : « Plus on est capable de ce genre de connaissance, plus on est conscient de soi-même et de Dieu, c'est-à-dire plus on est parfait et heureux[1]. » Et Spinoza n'hésite pas à affirmer que la connaissance intuitive nous fait tout considérer d'une manière radicalement nouvelle, en nous conduisant aux plus hautes satisfactions de l'esprit. Robert Misrahi parle à ce propos d'une sorte de « seconde naissance », qui nous fait entrer dans la béatitude[2]. Il convient toutefois de se méfier du vocabulaire à connotation religieuse utilisé par Spinoza lui-même. Le même Robert Misrahi met justement en garde contre une interprétation de type

---

1. *Éthique*, V, 31, scolie, p. 586.
2. Robert Misrahi, *100 mots sur l'*Éthique *de Spinoza*, Les Empêcheurs de tourner en rond, 2005, p. 171.

mystique de cette expérience ultime : « La béatitude spinoziste n'est pas une mystique : elle
ne saurait résulter de la fusion d'un être fini
avec l'Être infini, elle résulte d'une démarche
rationnelle et intuitive et elle est cette connaissance, c'est-à-dire cette sagesse[1]. » Même si le
vocabulaire employé par Spinoza est parfois
très proche de celui des mystiques chrétiens, il
ne faut pas en effet oublier que le fondement
de ces expériences diffère : d'un côté, union à
un Dieu transcendant par la foi et le cœur, de
l'autre, union à un Dieu immanent par la raison
et l'intuition. On pourrait définir le stade ultime
du spinozisme comme une mystique immanente,
ou, mieux encore, effectivement – pour éviter
toute confusion avec une expérience de type religieux –, comme une sagesse, très proche, à bien
des égards, de celles de Plotin ou de l'Inde.

Plus nous nous élevons en perfection et en
joie, « plus nous participons à la nature divine[2] »
et plus nous aimons Dieu comme Dieu s'aime
lui-même et aime les hommes : « Celui qui se
comprend lui-même et comprend ses sentiments, clairement et distinctement, aime Dieu,
et d'autant plus qu'il se comprend mieux lui-
même et comprend mieux ses sentiments[3]. »

---

1. *Ibid.*, p.116.
2. *Éthique*, IV, appendice, chapitre 31.
3. *Éthique*, V, 15, p. 576.

Liberté, éternité, amour

Toute l'éthique de Spinoza commence donc par une connaissance rationnelle de Dieu et s'achève par un amour de Dieu, lequel se dévoile d'une part par la connaissance de soi, d'autre part par l'intuition de ce rapport entre notre cosmos intérieur et le cosmos entier. Plus nous nous connaissons, plus nous mettons de l'ordre dans nos affects, plus nous augmentons en puissance et en joie, et plus nous participons à la nature divine et expérimentons cet amour de Dieu.

La béatitude, ou joie parfaite, est donc le fruit d'une connaissance à la fois rationnelle et intuitive qui s'épanouit dans un amour. Non pas un amour entendu dans le sens d'une passion : en ce sens, « Dieu n'aime et ne hait personne[1] », affirme Spinoza. Mais un amour universel, fruit de l'esprit : « L'amour intellectuel de l'esprit envers Dieu est l'amour même de Dieu, dont Dieu s'aime lui-même[2]. » Cet amour intellectuel de Dieu s'épanouit d'autant plus que nous participons à la nature divine. Dès lors, il n'y a plus aucune différence entre l'amour que nous avons pour Dieu, l'amour que Dieu a pour les hommes ou l'amour que Dieu a pour lui : « D'où suit que Dieu, en tant qu'il s'aime lui-même, aime les hommes, et par conséquent que l'amour de Dieu envers les hommes et l'amour intellectuel

---

1. *Éthique*, V, 17, corollaire.
2. *Ibid.*, V, 36, p. 89.

de l'esprit envers Dieu sont une seule et même chose. [...] Cela nous fait comprendre clairement en quoi consiste notre salut, autrement dit la Béatitude ou la Liberté : dans l'amour constant et éternel envers Dieu, autrement dit dans l'amour de Dieu envers les hommes[1]. »

Au cœur de cette sagesse de l'amour, Spinoza introduit une nouvelle notion : celle de l'éternité : « L'amour intellectuel de Dieu, qui naît du troisième genre de connaissance, est éternel[2]. » L'amour de Dieu est au-delà du temps, et c'est pourquoi il est éternel. Et en participant à la nature et à l'amour divin, « nous sentons et expérimentons que nous sommes éternels[3] », affirme le philosophe. Ne confondons pas immortalité (une existence qui s'étire dans un temps qui ne finit jamais) avec éternité : un instant hors du temps, qui n'a ni commencement ni fin. Expérimenter que nous sommes éternels, cela signifie vivre dans l'instant cette expérience indicible que nous pouvons exister au-delà de la temporalité, ce que Bruno Giuliani exprime fort bien : « Dire que l'esprit se perçoit comme éternel, c'est dire qu'il se perçoit dans son essence même comme existant hors du temps et de l'espace. Cela ne veut pas dire qu'il durera indéfiniment. Au contraire,

---

1. *Ibid.*, V, 36, corollaire et scolie, p. 589.
2. *Ibid.*, V, proposition 33, p. 587.
3. *Ibid.*, V, 23, scolie, p. 582.

cela signifie qu'il ne dure pas : l'esprit sent simplement qu'il est éternel dans le sens où il se perçoit comme existant d'une manière intemporelle,
avec la même nécessité que l'éternité de la vie
de Dieu[1]. »

C'est une expérience similaire à celle décrite
par de nombreux mystiques. On peut aussi s'en
faire une idée lorsque, devant une expérience
d'amour ou de contemplation de la beauté du
monde qui nous bouleverse, nous disons avoir
« l'impression que le temps s'arrête ». J'ai ressenti pour la première fois ce sentiment d'éternité
lorsque, au sortir de l'enfance, j'ai été saisi par
un amour infini et universel en regardant dans
une forêt le soleil traverser une clairière encore
embrumée. Je suis resté longtemps à contempler
ce spectacle qui me bouleversait, mais je n'avais
plus aucune notion du temps. Et je sentais non
seulement que le temps était aboli, mais aussi
toute séparation effacée entre moi et le monde.
Je ne faisais plus qu'un avec la nature, dans un
instant qui m'a fait expérimenter ce sentiment
d'éternité évoqué par Spinoza.

Dans une accélération assez prodigieuse de sa
pensée, Spinoza franchit encore un pas à la fin de
la cinquième partie de l'*Éthique* : non seulement

---

1. Bruno Giuliani, *Le Bonheur selon Spinoza*, l'Éthique *reformulée pour notre temps*, Almora, 2011, p. 232.

nous « sentons que nous sommes éternels », mais notre esprit l'est réellement et ne saurait disparaître avec la mort : « L'esprit humain ne peut être absolument détruit avec le corps, mais il en subsiste quelque chose qui est éternel[1]. » Et Spinoza précise que la part de l'esprit qui subsiste à la mort du corps, c'est la part active (celle de l'entendement qui a formé des idées adéquates), tandis que la part qui périt, c'est la part passive, autrement dit l'imagination[2]. Ainsi, plus un être humain développera sa raison, des idées adéquates, et sa puissance d'être et de joie, plus grande sera la part de son esprit qui survivra à la destruction du corps. Inversement, l'esprit d'un homme qui ne vit que sous l'emprise de son imagination et de ses affects déréglés ne survivra que peu, ou pas du tout, au corps. Enfin, Spinoza affirme aussi, compte tenu du lien du corps et de l'esprit, que plus un corps « a le pouvoir d'ordonner et d'enchaîner les affections du corps suivant un ordre conforme à l'entendement » et plus la part de l'esprit qui lui survivra sera importante[3]. Autrement dit, plus nos sentiments et nos émotions seront réglés par la raison, plus nos passions seront transformées en actions, plus grande sera la part de notre esprit qui subsistera.

---

1. *Éthique*, V, 23, proposition, p. 581.
2. *Ibid.*, V, 40, corollaire.
3. *Ibid.*, V, 39, démonstration, p. 592.

Liberté, éternité, amour

Cette question de la survie de l'esprit a suscité maints commentaires et controverses. Les spinozistes matérialistes (notamment les marxistes, qui ont été très nombreux dans les années 1960-1970, comme Louis Althusser) ne peuvent admettre que Spinoza puisse ainsi, dans les toutes dernières pages de son *Éthique*, envisager la survie de l'esprit au corps, à l'instar des pensées religieuses. Cela semble contredire sa conception d'une union substantielle de l'esprit et du corps, et cela ressemble trop aussi, selon eux, à un désir très humain de survie de la conscience pour être crédible. Pourtant, on pourra tordre le texte de Spinoza dans tous les sens, c'est bel et bien ce qu'il affirme à plusieurs reprises. Au fond, je trouve cela très logique : c'est la part divine et éternelle en nous qui subsiste. Les voiles du temps se dissiperont dès notre mort, et notre esprit continuera de vivre en Dieu, qui n'a ni commencement ni fin, comme une partie de lui-même. Cela rejoint, une fois encore, la conception de la philosophie indienne de l'*Advaita Vedanta* : l'*atman* (la part divine en nous) rejoint le *brahman* (le divin cosmique impersonnel) lorsqu'elle est sortie de l'ignorance et a atteint la libération. Ce que les hindous ajoutent, et ce sur quoi Spinoza reste silencieux, c'est qu'elle se réincarnera une nouvelle fois dans un nouveau corps si elle n'a pas atteint la libération ultime par la connaissance.

Comme on l'a vu, la sagesse spinoziste converge en bien des points avec la sagesse indienne, et je reste aussi étonné qu'admiratif qu'un homme seul, dans un contexte où il ne pouvait rien connaître de cette philosophie, ait pu, en tant de points essentiels, défendre les mêmes thèses. La raison est bien universelle, Spinoza en était convaincu. Et lorsqu'elle suit les mêmes cheminements, avec la même rigueur et le même amour de la vérité, sans se laisser influencer par le prisme déformant des croyances (quelles qu'elles soient), elle peut parvenir, quels que soient l'époque et le lieu, à développer des arguments communs et à vivre les mêmes expériences : notamment celle de la connaissance intuitive de l'amour de Dieu, qui la fait sortir de l'obscurité des méandres du temps pour vivre dans la lumière de l'éternité.

Lorsqu'il a atteint cet état, le sage est dans une joie que rien ni personne ne peut lui enlever. Il est conscient de lui-même, de Dieu et des choses, et possède toujours la vraie satisfaction de l'âme[1]. Il consent pleinement à la vie, parce qu'il sait que tout arrive par nécessité[2] ; il ne ressent pas plus de haine que de pitié[3] ; le bien qu'il souhaite pour lui-même, il le souhaite pour

---

1. *Éthique*, V, 42, scolie.
2. *Éthique*, IV, proposition 32.
3. *Éthique*, IV, 50, scolie.

tous les autres[1], et il répond à la haine ou au mépris par l'amour[2], car il sait que « les âmes ne sont pas vaincues par les armes, mais par l'amour et la générosité[3] ». À ce stade ultime, on remarquera que les fruits et les actes de la sagesse et de la sainteté – tels que Bergson, par exemple, les décrit à propos des grands mystiques – se confondent. Même si leurs chemins ont été fort différents – l'un a cheminé en suivant la voie immanente de sa raison et l'autre sa foi aimante en un Dieu transcendant –, le sage et le saint vivent dans la béatitude et expérimentent qu'ils sont éternels. Mais Spinoza affirme encore cette chose si originale et puissante, qui distingue sans doute clairement la nature de ces deux voies de transformation et d'accomplissement de l'être : « La Béatitude n'est pas la récompense de la vertu, mais la vertu elle-même ; et nous n'en éprouvons pas de la joie parce que nous réprimons nos penchants ; au contraire, c'est parce que nous en éprouvons de la joie que nous pouvons réprimer nos penchants[4]. » Autrement dit, tandis que la voie religieuse ou morale ascétique traditionnelle (à l'inverse du message des Évangiles, qui fait, une fois de plus, écho à

---

1. *Ibid.*, IV, proposition 37.
2. *Ibid.*, IV, 46.
3. *Ibid.*, IV, appendice, 11.
4. *Ibid.*, V, 42, p. 595.

la pensée de Spinoza) attend la joie comme la récompense de la vertu, la sagesse spinozienne part de l'expérience de la joie que nous éprouvons à ordonner nos passions afin d'augmenter notre puissance d'agir, pour nous inciter à ordonner notre vie par la raison. Toute l'éthique de Spinoza part de la joie pour aboutir à la joie parfaite. C'est tout sauf une morale distributive : « si tu agis bien, tu seras récompensé » ; « souffre en attendant le bonheur ». Elle nous propose, à l'inverse, de nous appuyer sur ce qui nous met dans la joie, nous fait grandir, nous rend heureux, pour nous engager de plus en plus résolument sur le chemin de la sagesse, qui nous conduira, de joie en joie, vers la béatitude et la liberté.

Comme le confesse Spinoza dans les dernières lignes émouvantes de l'*Éthique,* où l'on sent poindre sa solitude : « Si, il est vrai, la voie que je viens d'indiquer paraît très ardue, on peut cependant la trouver. Et cela certes doit être ardu, ce qui se trouve si rarement. Car comment serait-il possible, si le salut était là, à notre portée, et qu'on pût le trouver sans grande peine, qu'il fût négligé par presque tous ? Mais tout ce qui est précieux est aussi difficile que rare[1]. »

---

1. *Ibid.*, V, 42, scolie.

Conclusion

Grandeur et limites du spinozisme

« L'homme libre, écrit Spinoza, ne pense à rien moins qu'à la mort, et sa sagesse est une méditation non de la mort, mais de la vie[1]. » De constitution fragile, selon son biographe Colerus, atteint de tuberculose dès l'âge de vingt-cinq ans, Baruch sait qu'il ne vivra pas très longtemps. Ses logeurs et ses proches témoignent qu'il est resté serein et joyeux jusqu'à son dernier souffle, comme il le confie lui-même dans une lettre à Guillaume de Blyenbergh : « L'exercice de mon pouvoir naturel de comprendre, que je n'ai jamais trouvé une seule fois en défaut, a fait de moi un homme heureux. J'en jouis, en effet, et m'applique à travers la vie, non dans la tristesse et les lamentations, mais dans la tranquillité joyeuse et la gaîté[2]. »

---

1. *Éthique*, IV, proposition 67, p. 547.
2. Lettre 21, in *Œuvres, op. cit.*, p. 1146.

Le samedi 20 février 1677, il se sent mal et mande son ami médecin, Louis Meyer. Arrivé d'Amsterdam le lendemain matin, ce dernier recommande qu'on lui serve le bouillon d'une poule au pot. Tandis que ses logeurs se rendent au sermon du pasteur après le repas de midi, Spinoza meurt dans sa chambre vers trois heures de l'après-midi. Il a quarante-cinq ans. Louis Meyer rapporte très probablement ses manuscrits à son éditeur à Amsterdam, Jan Rieuwertz, lequel prend en charge ses frais d'inhumation dans la Nieuwe Kerk, la petite église protestante de ses logeurs. Une dizaine d'années plus tard, faute de fonds pour prolonger la concession funéraire, ses restes seront dispersés dans le cimetière qui jouxte l'église. Dès l'annonce de son décès, sa sœur Rebecca, qui ne lui avait pas parlé depuis son bannissement de la communauté juive, vingt ans plus tôt, réapparaît pour réclamer l'héritage. Constatant qu'il y avait plus de dettes que de profits, elle finit par y renoncer. Ses maigres biens, constitués principalement de livres, seront vendus aux enchères. Moins d'un an après sa mort, Jan Reuwertz publie ses œuvres posthumes, dont l'*Éthique*, dans une édition bilingue latin-néerlandais, sans nom d'auteur et sous un faux nom d'éditeur. Dès l'été 1678, l'ouvrage est condamné par les autorités civiles et religieuses et il est classé à l'Index par l'Église catholique en mars 1679, par l'évêque Niels Stensen (béatifié

par Jean-Paul II), qui le qualifie de « mal pesti-
lentiel ». Conservé dans les archives du Vatican,
cet ouvrage, même s'il ne s'agit pas de l'original
rédigé par l'auteur, est la seule copie manuscrite
de l'*Éthique* qui nous soit parvenue.

Vous l'aurez compris, cher lecteur, j'aime
profondément Baruch Spinoza. Cet homme me
touche par son authenticité et sa profonde cohérence, par sa douceur et sa tolérance, par ses
blessures et ses souffrances aussi, qu'il a su subli-
mer dans sa quête inlassable de sagesse. Je l'aime
aussi parce que c'est un penseur de l'affirmation.
Il est l'un des rares philosophes modernes à ne
pas sombrer dans le négativisme, dans une vision
essentiellement tragique de la vie, mais à envisager
positivement l'existence et à proposer un chemin
de construction de soi, qui aboutit à la joie et à
la béatitude. Je me suis d'emblée reconnu dans
cette démarche constructive qui n'empêche pas,
bien au contraire, de porter un regard lucide sur
la nature humaine et le monde. J'aime Spinoza
parce que c'est un penseur généreux qui souhaite aider ses semblables par sa philosophie et
qui a à cœur d'améliorer le monde dans lequel il
se trouve. Je l'aime encore, et peut-être surtout,
pour son courage : envers et contre tous, il est
resté fidèle à son amour de la vérité, préférant la
liberté de penser à la sécurité de la famille, de
la communauté, du conformisme intellectuel. Il

a été victime des pires calomnies, il a été renié par les siens, il a vécu sous la menace permanente et il est toujours resté fidèle à sa ligne de conduite. Il a été haï, mais n'a jamais haï. Il a été trahi, mais n'a jamais trahi. Il a été moqué, mais n'a jamais méprisé personne. Souvent insulté, il a toujours répondu avec respect. Il a vécu sobrement, dignement, toujours en parfaite cohérence avec ses idées, ce que presque aucun intellectuel – et je m'y inclus – n'est capable de faire. J'aime Spinoza et le considère comme un ami cher dans ma quête de la sagesse.

Suis-je pour autant spinoziste ? À bien des égards, oui, et je vais y revenir. Sur certains points, toutefois, je ne me reconnais pas dans la pensée de Spinoza. Je n'ai pas eu l'occasion d'évoquer au long de cet ouvrage deux points de vue qu'il exprime rapidement dans son œuvre, mais avec lesquels je suis en profond désaccord : sa conception de la femme et sa vision des animaux.

Lorsqu'il décède, le 21 février 1677, il venait tout juste de finir d'écrire un paragraphe du *Traité politique* (inachevé), consacré à la question du droit de vote en démocratie. Or Spinoza explique que les femmes, comme les enfants, doivent en être exclues, du fait qu'elles dépendent de leur mari. Il pose ensuite la bonne question : est-ce que cette dépendance à l'égard de leur mari relève d'une institution culturelle ou de leur nature même ?

Conclusion

Contre toute attente, Spinoza tombe alors dans les préjugés de son époque, et nous explique que « la condition des femmes dérive de leur faiblesse naturelle ». Son argumentation, très pauvre, ne repose que sur un constat empirique : « Nulle part, en effet, il n'est arrivé que les hommes et les femmes gouvernent ensemble. Dans tous les pays de la terre où vivent des hommes et des femmes, nous voyons les premiers régner et les secondes subir leur domination. De cette façon, les deux sexes connaissent la paix[1]. » Alors qu'il a réussi à dépasser les préjugés de sa culture et de son temps en maints domaines, Spinoza n'a pas su pousser plus loin sa réflexion sur cette question. Je me suis même demandé s'il avait totalement digéré sa mésaventure amoureuse, ou si celle-ci ne l'avait pas aveuglément ancré dans la misogynie congénitale des sociétés patriarcales...

Autre idée que je ne partage pas : sa conception utilitariste des animaux, ici aussi, parfaitement conforme avec les préjugés de son temps. À la suite des philosophes de l'Antiquité et des théologiens chrétiens, il considère en effet que si les hommes, doués de raison, recherchent entre eux la justice et la concorde, ceux-ci peuvent faire usage du reste de la nature, et notamment des animaux, comme bon leur semble : « Je ne nie pas que les bêtes aient conscience

---

1. *Traité des autorités politiques*, 10, 4, in *Œuvres, op. cit.*, p. 1044.

[contrairement à Descartes], mais je nie qu'il soit pour cela interdit de penser à notre utilité, et de nous servir des bêtes à notre guise et de les traiter selon ce qu'il nous convient le mieux, puisqu'elles ne s'accordent pas avec nous par nature et que leurs sentiments sont, par nature, différents des sentiments humains[1]. » Sur cette question, Montaigne fut un véritable précurseur, en montrant combien les animaux étaient, en maints aspects, plus intelligents et sensibles que nous, et qu'il fallait sortir de la logique ancestrale du « propre de l'homme », qui n'est qu'un alibi pour les exploiter à notre convenance, en toute bonne conscience.

Autre point de divergence : le rationalisme absolu de Spinoza. Autant je crois, comme lui, que la raison humaine est universelle et peut chercher à comprendre les lois de l'univers, autant je pense que la totalité du réel n'est pas seulement appréhendable par la raison logique. La révolution opérée par la physique quantique nous a montré qu'il fallait sortir de notre logique binaire classique pour pouvoir comprendre la complexité du monde, ce qui avait même déstabilisé Einstein lorsqu'on lui avait présenté la théorie de la « non-séparabilité ». Même si Spinoza a perçu les limites du rationalisme en métaphysique, ce qui l'a amené à découvrir la connaissance intuitive,

---

1. *Éthique*, IV, 37, scolie, p. 521.

il reste très cartésien dans sa manière d'appréhender les phénomènes naturels, et tout ce qu'on appelle aujourd'hui le « paranormal » lui paraît pure chimère, un point de vue que je ne partage pas. En analysant tout à partir de la loi de causalité, il passe, par exemple, à côté des phénomènes de synchronicité, tels que Jung les a si bien explicités : deux événements simultanés non reliés par une cause, mais par leur sens. Plus profondément encore, je ne crois pas à la possibilité même d'un système clos, fondé sur une logique géométrique. Même si j'avoue ne pas forcément en avoir compris toutes les subtilités, je ne pense pas que le système rationnel de Spinoza, expliquant de manière logique la totalité du réel, soit possible. Je suis convaincu que la raison logique ne peut tout expliquer, et j'émettrai aussi des doutes sur le déterminisme absolu sur lequel se fonde un tel système. À cet égard, je renvoie à la critique radicale – mais honnête et brillante – du système spinoziste, qu'a effectuée Luc Ferry[1]. Même si le système a ses limites, cela ne veut pas dire que tout s'effondre tel un château de cartes, comme le pense Luc Ferry, qui juge l'entreprise spinoziste « délirante ». Même si on ne souscrit pas au système, on peut être ébloui, touché en profondeur et intellectuellement nourri

---

1. Luc, Ferry, *Spinoza et Leibniz. Le bonheur par la raison*, Flammarion, collection « Sagesses d'hier et d'aujourd'hui », 2012.

par quantité de propositions spinozistes. On l'a vu, Spinoza ne cesse de bousculer les codes traditionnels de la philosophie éthique. Il chemine et nous amène à le faire hors des sentiers battus de la pensée philosophique et religieuse. Il nous invite sans cesse à changer notre regard, à quitter le prêt-à-penser pour penser mieux, regarder plus loin, autrement, ailleurs. J'adhère à son monisme métaphysique et à sa philosophie immanentiste, qui fait si étrangement écho à celle de l'Inde, même si j'ai vécu des expériences spirituelles qui ont bouleversé mon cœur autant que mon intelligence et que j'ai un lien avec le Christ plus affectif que simplement rationnel. J'adhère également à sa conception moniste du corps et de l'esprit. Je souscris pleinement à son anthropologie, qui place le *conatus*, le désir et la joie au fondement de l'éthique. J'adhère à sa critique radicale de la superstition religieuse et je souscris à sa lecture rationnelle et critique de la Bible. Je me reconnais naturellement aussi dans sa vision politique – prémonitoire – de nos démocraties modernes, comme dans le lien qu'il établit entre éthique et politique : le changement le plus fécond viendra des individus qui vivront sous l'emprise de la raison. Comme lui, j'essaye de ne pas me moquer, de ne pas juger, de ne pas me plaindre ou me mettre en colère, mais, plutôt, de comprendre et d'agir. Et surtout, comme lui, je recherche la vérité et la sagesse en essayant de mener une vie

Conclusion

bonne et heureuse. Je souscris donc à ces pro-pos d'André Comte-Sponville : « Il y a plusieurs demeures dans la maison du philosophe, et celle de Spinoza reste à mes yeux la plus belle, la plus haute, la plus vaste. Tant pis pour nous si nous ne sommes pas capables de l'habiter absolument[1] ! »

Corse, printemps-été 2017

---

1. *Philosophie Magazine*, hors-série, « Spinoza, voir le monde autrement », avril-juin 2016, p. 130.

Postface

Un échange avec Robert Misrahi

J'ai transmis les épreuves de mon livre à deux philosophes, qui connaissent très bien la pensée de Spinoza, afin de recueillir leurs avis et leurs critiques. Je remercie tout d'abord vivement Bruno Giuliani pour ses remarques pertinentes qui m'ont permis d'apporter quelques précieuses nuances au texte. Merci de tout cœur aussi à Robert Misrahi qui a pris le temps de relire attentivement cet ouvrage.

Aujourd'hui âgé de 91 ans, Robert Misrahi a découvert Spinoza à l'âge de seize ans et ne l'a plus quitté, même s'il lui a fait quelques infidélités avec Sartre sur la question du libre arbitre ! Pendant soixante-quinze ans, il a donc lu, traduit, commenté inlassablement la pensée de celui qui porte le même prénom que lui : Béni. Immigré d'une famille juive d'origine turque, Béni a choisi enfant le prénom de Robert pour mieux s'intégrer en France dans un contexte d'antisémitisme virulent. Au moment même où il découvre l'*Éthique* de Spinoza, il échappe de peu à la rafle du Vel'd'Hiv et refuse de porter l'étoile jaune, au péril de sa vie. Déjà meurtri par une enfance douloureuse (sa mère est définitivement internée en hôpital psychiatrique alors qu'il n'a que huit ans et son père a vécu dans un chômage quasi chronique), Robert se lance dans la philosophie à l'âge de seize ans, sans doute pour sauver sa peau, à l'instar de son mentor, Baruch Spinoza. L'année suivante, en 1943, il lit, dès sa publication, *L'Être et le Néant*, d'un philosophe presque inconnu : Jean-Paul Sartre. C'est son second coup de foudre philosophique, et il devient un proche du philosophe, qui lui financera ses études de philosophie jusqu'à l'agrégation. Robert Misrahi enseigne longtemps à la Sorbonne tout en développant une œuvre personnelle, centrée sur la quête du bonheur, et en multipliant les publications et les traductions de Spinoza, dont il devient un spécialiste mondialement reconnu.

Après avoir lu mon manuscrit, Béni-Robert Misrahi m'a envoyé une lettre pour me faire part de ses remarques, et notamment de ses divergences sur certaines de mes interprétations de la pensée de Spinoza, concernant principalement la question de Dieu. Avec son accord, j'ai souhaité publier sa lettre et la réponse que je lui ai apportée, car j'ai pensé que cet échange pouvait intéresser le lecteur en montrant comment la pensée d'un grand philosophe donnait toujours lieu à de riches débats.

Postface

Cher Frédéric,

C'est avec une grande joie que j'ai lu votre beau livre sur Spinoza. J'ai aimé votre amour sincère du philosophe et admiré le portrait si concret et si bien informé que vous faites de notre ami commun. Et j'ai aussi admiré votre style à la fois simple et dynamique, ce style qui en effet donnera envie à vos lecteurs de lire Spinoza, et les aidera déjà à mieux vivre, comme vous le rappelez si bien.

L'amitié qui nous lie me suggère de vous faire part de quelques réserves concernant votre interprétation du spinozisme. Elles participent de notre effort commun pour diffuser toujours plus la doctrine de Spinoza. Nous savons tous deux que face à un même texte les interprétations peuvent être nombreuses et divergentes, leur confrontation comparative étant destinée non pas à souligner le travail des commentateurs, mais à accroître la compréhension du texte-source. À cet égard, je pense qu'une « interprétation » se rapprochera d'autant plus de l'intention de l'auteur qu'elle aura apporté le plus grand nombre de faits à l'appui de sa thèse.

C'est ainsi que, à propos de l'ontologie de Spinoza, nous divergeons radicalement : pour moi, Spinoza nous propose un « athéisme poli » (comme disait l'éminent historien de la philosophie Henri Gouhier), doctrine que je nommerai « athéisme masqué », pour reprendre le terme masqué qu'on a appliqué sans scandale à la philosophie de Descartes. Quels sont mes arguments pour défendre cette thèse qui n'est ni une posture ni un opportunisme ? Citons d'abord quelques faits, aussi bien textuels qu'historiques.

Cher Frédéric, je n'ai pas vu que vous rappeliez la devise que Spinoza avait inscrite sur son sceau et qui éclaire toute son œuvre « *Caute*, méfie-toi ». Spinoza serait-il trop prudent ? Mais n'avait-il pas été excommunié par sa communauté qui le considérait comme... athée ? Spinoza n'avait-il pas été victime d'une tentative de meurtre au poignard ? Le terrorisme barbare doit-il recevoir un nom moderne pour être reconnu comme tel et suggérer la prudence ? Les guerres de religion ont-elles cessé au XVIIᵉ siècle ? Dans cette perspective, pourquoi ne pas tenir compte du fait (que vous évoquez bien) selon lequel les ancêtres de Spinoza sont peut-être des Juifs marranes de la péninsule ibérique, Juifs faussement convertis au christianisme pour survivre, mais secrètement « Juifs en privé » ? N'existe-t-il pas dans un pays calviniste au XVIIᵉ siècle la possibilité d'être secrètement athée ?

À ce fait (l'utilisation par Spinoza de la devise « *Caute* ») s'ajoute celui-ci à la lettre XLII, de Lambert de Velthuysen (transmise par Jacob Osten) Spinoza répond dans la lettre XLIII à Jacob Osten. Mais tandis que la lettre de L. de V. est une longue étude théologique et une critique de l'absence chez Spinoza d'un dieu personnel et créateur, Spinoza se contente dans une courte missive de proclamer qu'il n'est pas athée puisqu'il n'est pas de mœurs libertines. En fait, prudent, notre ami Spinoza ne répond à aucune question théologique ou ontologique. Il opère un déplacement. Mauvaise foi ? Accuserait-on Jean Moulin de mauvaise foi parce que vivant dans la clandestinité ? Avons-nous le droit d'exiger de Spinoza une transparence héroïque et suicidaire ?

D'autres faits corroborent notre interprétation. Spinoza précise dans l'*Éthique* qu'il convient de ne donner aux termes qu'il emploie que le sens qu'il leur attribue lui-même dans ses propres définitions, et il ajoute qu'il ne le dira *qu'une fois* (comme le souligne Leo Strauss). Or, c'est précisément *une seule fois* qu'il écrit : *Deus sive Natura*, Dieu, c'est-à-dire (ce qui revient au même) la Nature, en *Eth.* IV, 4, dém.

Spinoza ne parle *jamais* d'un dieu personnel, et il n'hésite pas à affirmer que l'idée de l'incarnation dans un corps humain d'un Dieu infini est « absurde ». Il n'en exprime pas moins, cela est exact, son admiration pour la personne du Christ, qui est comme l'esprit de Dieu en l'homme (« Dieu », on s'en souvient, étant toute la réalité matérielle [attribut « Étendue »] et toute la culture humaine [attribut « Pensée »]). On ne peut donc identifier la marque de respect que Spinoza exprime à l'égard de ses fidèles amis chrétiens et une déclaration d'allégeance à l'égard d'une quelconque religion.

S'il est clair à mes yeux que Spinoza ne soutient jamais, mais combat toujours l'idée d'un dieu personnel ; s'il est également clair pour moi que l'idée d'un dieu créateur qui serait *totalement déterminé* (comme le *Deus sive Natura*) est contradictoire dans les termes puisque « création » suppose « liberté », alors je dois me rendre à l'évidence : un dieu déterminé n'est pas un dieu tout-puissant et le spinozisme est un athéisme (a-théisme).

Comment se fait-il donc qu'en pays laïc on ait parfois du mal à reconnaître qu'une doctrine de sagesse puisse être un athéisme ? Et pourquoi faudrait-il que la plus magnifique et la plus élaborée des doctrines éthiques ne soit qu'un simple déisme à la Voltaire ? Pourquoi rabaisser l'exception ? L'athéisme serait-il subversif ?

J'aurai encore une remarque à formuler concernant la vie affective et donc le désir (dont vous reconnaissez bien la place centrale). En toute rigueur et fidélité au texte si pesé de Spinoza, on ne peut, comme le fait pourtant Apphun, traduire par un seul terme (« affection ») ces deux termes latins si précis : *affectus* (affect), et *affectio* (affection). Une telle traduction conduit à un contresens grave, comme le prouve la traduction de la définition III de la Partie III de l'*Éthique*, qui définit justement l'affect comme une affection du corps et l'idée de cette affection : on ne peut inclure dans une définition le terme même qu'on définit, comme oblige à le faire la traduction de Apphun. Mais l'on ne peut non plus, pour un même terme latin, *affectus*, si précis et si central, utiliser indifféremment une traduction par deux termes, *affect* et *sentiment*. La traduction par Roger Caillois d'*affectus* par « sentiment » est arbitraire et inutilement moderne. La traduction d'*affectus* par « sentiment » ne fait qu'affaiblir votre propre texte qui a pourtant su reconnaître, par la traduction « affect », l'apport considérable de Spinoza à la connaissance de l'esprit humain. « Affect » nous mène à Freud que vous évoquez à juste titre. Mais je vous dirai une autre fois pourquoi je ne pense pas qu'il y ait un « inconscient » chez Spinoza (cf. la définition de l'affect en *Eth.* III, déf. III). Mais il s'agit là d'« interprétations » et nous le reconnaissant joyeusement tous deux, elles sont toutes libres.

Cher Frédéric, malgré ces divergences d'interprétation, je tiens à vous féliciter pour votre livre si exact et si vivant. En vous lisant, j'avais le sentiment d'être situé au cœur même du spinozisme ; vous avez su donner de cette doctrine si riche à la fois une image vraie et une signification dynamisante qui ouvre sur un avenir de liberté et de joie.

Je veux vous exprimer mon amitié vive et mon admiration.

Robert Misrahi

Cher Robert,

Je suis heureux, et honoré, que vous ayez lu « avec joie » ce petit livre qui n'a d'autre ambition que de faire découvrir à un large public la vie et la pensée de celui que nous considérons, l'un et l'autre, comme le plus grand des philosophes. Non seulement par la profondeur et la lucidité de sa pensée, mais aussi parce que celle-ci peut avoir un impact considérable sur nos vies. Je vous remercie du fond du cœur pour cette lecture attentive et vos remarques critiques.

Vous soulignez en effet, et je vous en sais gré, quelques divergences d'interprétation dans la lecture de l'*Éthique*. Sur le second point, qui est plus mineur, j'ai bien pris soin de traduire différemment *affectio* (affection) et *affectus* (affect[1]), mais il est vrai que j'ai parfois suivi Roger Caillois dans sa traduction de *affectus* par « sentiment », car je trouve l'expression plus parlante à nos contemporains, tout en l'associant la plupart du temps au mot plus juste d'« affect ».

La question de Dieu et de l'athéisme de Spinoza est essentielle et, bien que n'ayant ni votre science ni votre longue fréquentation de Spinoza, je reste en désaccord avec vous, et j'aimerais très brièvement en rappeler les raisons. Nous sommes tout d'abord d'accord sur un point essentiel : bien entendu Spinoza ne croit pas en un Dieu personnel et créateur, à savoir celui des religions monothéistes. Je le rappelle de nombreuses fois. Mais, là où nos points de vue divergent, c'est que vous pensez que Spinoza utilise (très fréquemment) le mot Dieu par précaution et que, puisque la définition qu'il en donne est fort éloignée de la conception monothéiste, le mot est vidé de sa substance et n'est utilisé qu'à des fins de prudence. Je n'en crois rien. J'ai aussi maintes fois rappelé ici la prudence de Spinoza, qui a publié son *Traité théologico-politique* de manière anonyme, qui a renoncé à publier l'*Éthique* de son vivant, et je n'ai pas manqué non plus de rappeler qu'il avait choisi pour devise le mot latin *Caute*, « Méfie-toi[2] ». Mais

---

1. Voir p. 146-147 (*NdE*).
2. Voir p. 38 (*NdE*).

je reste néanmoins convaincu qu'il n'a pas écrit quoi que ce soit qu'il ne pensait vraiment, que ce soit sur Dieu comme sur tout autre sujet. Et si la question de Dieu était étrangère à sa doctrine, mais un simple artifice pour se concilier les bonnes grâces de ses amis chrétiens et éviter les foudres des autorités religieuses et publiques, que n'avait-il besoin d'y consacrer le premier et le dernier livre de son ouvrage majeur ? Il aurait suffi d'y faire allusion brièvement et de consacrer son livre à sa vision anthropologique et éthique radicalement nouvelle, fondée sur le *conatus*, le désir et la joie. Or il m'apparaît évident que Spinoza a l'ambition de fonder son éthique sur une métaphysique. Il part de Dieu, cet « être absolument infini « (*Éthique*, I, définition) et il affirme que « toutes choses sont en Dieu et dépendent de lui » (*Éthique*, I, appendice), avant de descendre dans les profondeurs de la psyché humaine pour revenir à Dieu à travers la libération de la servitude et l'accès à la Béatitude par « l'amour intellectuel de Dieu qui est éternel » (*Éthique*, V, 33), dont il parle, de toute évidence, comme une expérience vécue.

Il me semble, cher Robert, que vous réduisez la définition de Dieu à celle donnée par les traditions monothéistes occidentales – un être personnel et créateur – ce qui vous conduit logiquement à penser que Spinoza construit son système en parlant d'un Dieu auquel il ne croit pas. Or, justement, Spinoza redéfinit de fond en comble le concept de Dieu. Et, comme je l'explique dans le chapitre sur « le Dieu de Spinoza », sa vision non dualiste et immanente de Dieu rejoint, de manière étonnante, celle des grandes sagesses de l'Inde ou de la Chine. Sans les avoir connues, Spinoza donne une définition du divin qui ressemble fort à celle du brahman hindou ou du Tao chinois. Belle preuve du caractère universel de la raison humaine ! Ce divin impersonnel et cosmique est non seulement pour Spinoza une réalité, mais il est même la réalité ultime.

Avait-il besoin de l'appeler « Dieu », au risque de créer une confusion avec la définition radicalement différente qu'en donnaient ses contemporains dans notre tradition judéo-chrétienne ? C'est là que je vous rejoins : l'utilisation du mot Dieu est sans doute voulue pour atténuer le caractère révolutionnaire de sa métaphysique moniste. Il est probable, s'il avait vécu à notre époque, que Spinoza eût évité ce mot trop connoté et saturé de sens. Mais cela, pour moi, ne change rien au fond : Spinoza propose une nouvelle définition de Dieu, qu'il considère comme la plus achevée. Il ne *croit* pas à la représentation qu'il juge infantile du Dieu auquel ses semblables rendent un culte, mais il *pense* Dieu comme un être infini, principe de raison et modèle de vie bonne, et cette pensée de « Dieu » l'a mis en joie et a gouverné toute sa vie.

Appelons ça de l'« athéisme » si vous voulez, puisque vous entendez rester dans la définition biblique de Dieu, mais je comprends pourquoi Spinoza a toujours récusé ce qualificatif, lui qui avait pour ambition de dépasser la croyance religieuse pour inventer une pensée philosophique de ce que, faute de mieux, on appelle universellement, et très diversement, « Dieu ». Toutefois, afin d'éviter tout malentendu, on pourrait parler de « panthéisme » plutôt que de « théisme », pour qualifier sa conception d'un Dieu identifié à la Nature, ce qui réconcilierait peut-être, en partie, nos deux points de vues ?

En vous remerciant encore très chaleureusement, je vous redis ma grande estime et mon amitié fidèle.

Frédéric

Cher Frédéric,

Je vous remercie de votre réponse à ma lettre.
Je suis heureux que nous ayons pu manifester dans l'amitié nos différentes approches du spinozisme et je retiens particulièrement le fait que vous dites que, oui, il y a chez Spinoza un « Dieu identifié à la Nature ».

Avec toute ma fidèle amitié.

Robert

Bibliographie

Ouvrages de Spinoza

J'ai utilisé ici les *Œuvres complètes*, publiées dans la Pléiade (Gallimard, 1954), fort bien traduites et annotées par Roger Caillois, Madeline Francès et Robert Misrahi.

Pour ceux qui ne souhaiteraient lire que l'*Éthique*, je recommande la traduction de Bernard Pautrat (Seuil, collection « Point essais », 1988) ou celle de Robert Misrahi (Le Livre de Poche, 2011)..

Il existe des milliers d'ouvrages sur Spinoza et sur l'*Éthique* et je n'en ai lu que très peu, préférant me concentrer sur les textes de l'auteur. J'en présenterai ici quelques-uns que j'ai trouvés utiles.

Commentaires de l'*Éthique*

ANSAY Pierre, *Spinoza peut nous sauver la vie.* (Ouvrage atypique et drôle, mais fiable et assez accessible.)

DELEUZE Gilles, *Spinoza, philosophie pratique*, Éditions de Minuit, 1981. (Un incontournable ; lecture exigeante.)

GIULIANI Bruno, *Le Bonheur selon Spinoza. L'Éthique reformulée pour notre temps,* Almora, 2011. (L'auteur a complètement réécrit l'*Éthique* pour le rendre plus accessible à ses contemporains : peut-être déroutant pour les amoureux du texte original, mais fidèle sur le fond, et efficace.)

MISRAHI Robert, *100 mots sur l'*Éthique *de Spinoza*, Les Empêcheurs de tourner en rond, 2005. (Très précieux pour accompagner une lecture suivie du livre.)

SUHAMY Ariel, *Spinoza, pas à pas*, Ellipses, 2011. (Un commentaire précis et éclairant du texte, mais parfois exigeant.)

Livres sur Spinoza

DAMASIO Antonio, *Spinoza avait raison. Joie et tristesse, le cerveau des émotions*, Odile Jacob, 2003. (Le point de vue intéressant d'un célèbre neurologue américain sur la pensée de Spinoza. Lecture parfois aride.)

FERRY Luc, *Spinoza et Leibniz. Le bonheur par la raison*, collection « sagesses d'hier et d'aujourd'hui », Flammarion, 2012. (Une critique radicale, mais stimulante, du spinozisme.)

MOREAU, Pierre-François, *Spinoza et le spinozisme*, PUF, 2003. (Un bon « Que sais-je ? », écrit par un fin connaisseur de la pensée du philosophe.)

Bibliographie

MISRAHI Robert, *Spinoza, une philosophie de la joie.* (Excellente introduction à la pensée de Spinoza, avec de précieux commentaires personnels de l'auteur en fin d'ouvrage.)

YALOM Irvin, *Le Problème Spinoza*, Livre de Poche, 2014. (Roman passionnant et bien documenté, qui met en parallèle la vie de Spinoza et celle de l'idéologue nazi Rosenberg. La philosophie de Spinoza n'y est qu'effleurée.)

Table

Du même auteur

(ouvrages disponibles)

FICTION

Cœur de cristal, conte, Robert Laffont, 2014 ; Pocket, 2016.

Nina, avec Simonetta Greggio, roman, Stock, 2013, Le Livre de Poche, 2014.

L'Âme du monde, conte de sagesse, NiL, 2012 ; version illustrée par Alexis Chabert, NiL, 2013, Pocket, 2014.

L'Oracle della Luna, tome 1 : *Le Maître des Abruzzes*, scénario d'une BD dessinée par Griffo, Glénat, 2012 ; tome 2 : *Les Amants de Venise*, 2013 ; tome 3 : *Les Hommes en rouge*, 2013 ; tome 4 : *La Fille du sage*, 2016.

La Parole perdue, avec Violette Cabesos, roman, Albin Michel, 2011 ; Le Livre de Poche, 2012.

Bonté divine !, avec Louis-Michel Colla, théâtre, Albin Michel, 2009.

L'Élu, le fabuleux bilan des années Bush, scénario d'une BD dessinée par Alexis Chabert, Vent des savanes, 2008.

L'Oracle della Luna, roman, Albin Michel, 2006 ; Le Livre de Poche, 2008.

La Promesse de l'ange, avec Violette Cabesos, roman, Albin Michel, 2004, Prix des Maisons de la Presse 2004 ; Le Livre de Poche, 2006.

La Prophétie des Deux Mondes, scénario d'une saga BD dessinée par Alexis Chabert, 4 tomes, Vent des savanes, 2003-2008.

Le Secret, fable, Albin Michel, 2001 ; Le Livre de Poche, 2003.

ESSAIS ET DOCUMENTS

Lettre ouverte aux animaux (et à ceux qui les aiment), Fayard, 2017.

Philosopher et méditer avec les enfants, Albin Michel, 2016.

La Puissance de la joie, Fayard, 2015.

François, le printemps de l'Évangile, Fayard, 2014, Le Livre de Poche, 2015.

Du bonheur, un voyage philosophique, Fayard, 2013, Le Livre de Poche, 2015.

La Guérison du monde, Fayard, 2012, Le Livre de Poche, 2014.

Petit traité de vie intérieure, Plon, 2010 ; Pocket, 2012.

Comment Jésus est devenu Dieu, Fayard, 2010 ; Le Livre de Poche, 2012.

La Saga des francs-maçons, avec Marie-France Etchegoin, Robert Laffont, 2009 ; Points, 2010.

Socrate, Jésus, Bouddha, Fayard, 2009 ; Le Livre de Poche, 2011.

Petit traité d'histoire des religions, Plon, 2008 ; Points, 2011.

Tibet, 20 clés pour comprendre, Plon, 2008, Prix « Livres et droits de l'homme » de la ville de Nancy ; Points, 2010.

Le Christ philosophe, Plon, 2007 ; Points, 2009.

Code Da Vinci, l'enquête, avec Marie-France Etchegoin, Robert Laffont, 2004 ; Points, 2006.

Les Métamorphoses de Dieu, Plon, 2003, Prix européen des écrivains de langue française 2004 ; Pluriel, 2005.

L'Épopée des Tibétains, avec Laurent Deshayes, Fayard, 2002.

La Rencontre du bouddhisme et de l'Occident, Fayard, 1999 ; Albin Michel, « Spiritualités vivantes », 2001 et 2012.

Le Bouddhisme en France, Fayard, 1999.

Mère Teresa, avec Estelle Saint-Martin, Plon, 1993.

ENTRETIENS

Oser l'émerveillement, avec Leili Anvar, Albin Michel, 2016.

Sagesse pour notre temps, avec Leili Anvar, Albin Michel, 2016.

Dieu, Entretiens avec Marie Drucker, Robert Laffont, 2011 ; Pocket, 2013.

Mon Dieu… Pourquoi ?, avec l'abbé Pierre, Plon, 2005.

Mal de Terre, avec Hubert Reeves, Seuil, 2003 ; Points, 2005.

Le Moine et le Lama, avec Dom Robert Le Gall et Lama Jigmé Rinpoché, Fayard, 2001 ; Le Livre de Poche, 2003.

Sommes-nous seuls dans l'univers ?, avec J. Heidmann, A. Vidal-Madjar, N. Prantzos et H. Reeves, Fayard, 2000 ; Le Livre de Poche, 2002.

Entretiens sur la fin des temps, avec Jean-Claude Carrière, Jean Delumeau, Umberto Eco, Stephen Jay Gould, Fayard, 1998 ; Pocket, 1999.

Les Trois Sagesses, avec M.-D. Philippe, Fayard, 1994.
Le Temps de la responsabilité. Entretiens sur l'éthique, postface de
  Paul Ricœur, Fayard, 1991 ; nouvelle édition, Pluriel, 2013.
Les Risques de la solidarité, avec B. Holzer, Fayard, 1989.
Les Communautés nouvelles, Fayard, 1988.
Au cœur de l'amour, avec M.-D. Philippe, Fayard, 1987.

DIRECTION D'OUVRAGES ENCYCLOPÉDIQUES

La Mort et l'immortalité. Encyclopédie des croyances et des savoirs,
  avec Jean-Philippe de Tonnac, Bayard, 2004.
Le Livre des sagesses, avec Ysé Tardan-Masquelier, Bayard, 2002
  et 2005 (poche).
Encyclopédie des religions, avec Ysé Tardan-Masquelier, 2 volumes,
  Bayard, 1997 et 2000 (poche).

Vous pouvez retrouver l'actualité
de Frédéric Lenoir sur sa page Facebook
et sur son site
www.fredericlenoir.com
et soutenir ses actions
en faveur des enfants sur
fondationseve.org
et des animaux sur
ensemblepourlesanimaux.org

Composition et mise en pages
Nord Compo à Villeneuve-d'Ascq

Impression réalisée par CPI
en février 2018

**PAPIER À BASE DE
FIBRES CERTIFIÉES**

Fayard s'engage pour
l'environnement en réduisant
l'empreinte carbone de ses livres.
Celle de cet exemplaire est de :
0,400 kg éq. CO_2
Rendez-vous sur
www.fayard-durable.fr

Imprimé en France
Dépôt légal : novembre 2017
N° d'impression : 3027652
66-8841-9/19